SON CARNET ROUGE

Née en 1961, Tatiana de Rosnay est franco-anglaise. Elle est l'auteur de onze romans, dont *Le Voisin*, *Boomerang*, *Rose*, *À l'encre russe* et *Elle s'appelait Sarah*, best-seller international vendu à plus de 9 millions d'exemplaires dans le monde et adapté au cinéma en 2010. Récemment elle a publié *Son carnet rouge*, recueil d'histoires inavouables. Tatiana de Rosnay a été désignée comme l'une des 50 personnalités françaises les plus influentes à l'international par le magazine *Vanity Fair*. Elle vit à Paris avec sa famille.

Paru dans Le Livre de Poche :

À L'ENCRE RUSSE

BOOMERANG

CAFÉ LOWENDAL ET AUTRES NOUVELLES

LE CŒUR D'UNE AUTRE

ELLE S'APPELAIT SARAH

LA MÉMOIRE DES MURS

MOKA

ROSE

SPIRALES

LE VOISIN

TATIANA DE ROSNAY

Son carnet rouge

ÉDITIONS HÉLOÏSE D'ORMESSON

Les nouvelles « Son carnet rouge », « Les SMS »,
« La jeune fille au pair », « Le répondeur », « Le cheveu »,
« La clé USB », « Le mot de passe », « Le "Toki-Baby" »
et « Le bois », qui ont fait l'objet d'une première publication
aux Éditions Plon en 1995 sous le titre *Mariés, pères de famille*,
ont été remaniées pour la présente édition.

ISBN : 978-2-253-06849-5 – 1re publication LGF

À Catherine, Chantal, Frédérique,
Julia, Laure et Valérie

Eh bien, ma petite, de quoi vous plaignez-vous ?
Votre mari n'est pas fidèle ?
Mais les hommes ne sont jamais fidèles.

André MAUROIS (1885-1967), *Climats*

Toute ressemblance, etc.

Son carnet rouge

L'homme qui aime normalement
sous le soleil adore frénétiquement
sous la lune.

GUY DE MAUPASSANT (1850-1893),
Sur l'eau

2 mai

Guy est irréprochable. Il est d'un ennui mortel. Que faire, à part le tromper, ce qui est déjà le cas depuis belle lurette ? Je rêve d'un mari tombeur, bourreau des cœurs, coureur, trousseur de jupons, magnifique séducteur, sublime salopard ! Hélas !

Je partage le lit aseptisé d'un homme fidèle. Je porte le nom d'un paisible père de famille qui me prend tranquillement, à la papa, en susurrant des mots plus tendres qu'excitants, en distribuant des baisers plus sages que chavirants. Pour atteindre le nirvana, je m'abîme dans quelque polissonne vision de luxure et de stupre, où il est question de violences inavouables, positions complexes et vocabulaire graveleux.

21 mai

Mon mari m'ennuie.

C'est affligeant, mais véridique.

Mes enfants sont beaux, pour autant ils n'ont pas éveillé en moi d'instinct maternel. Je les aime, certes, mais c'est la nounou qui les élève. Loin de moi l'idée de m'occuper de biberons, couches, promenades et vaccins.

Je l'ai trompé pour la première fois un mois après mon mariage, avec un ex. Je me disais que cela ne comptait pas, puisque ce n'était pas nouveau.

Puis j'ai compris qu'il n'y avait que cela qui comptait.

J'ai dû vite me rendre à l'évidence. Tromper un mari qui ne se doute de rien est presque aussi ennuyeux que de ne pas le tromper du tout.

4 juin

Voici cinq ans que je le trompe. Tout le monde sait qu'il est cocu, sauf lui. Il est ridicule. J'aurais tant aimé qu'il m'insulte ou qu'il me rende la pareille !

Ah, le trouver au lit avec ma sœur, ou ma meilleure amie, ou la femme de ménage, ou même sa cousine, sa nièce, sa filleule, quel bonheur ! Quelle épouse bafouée magnifique je serais, quelles scènes épouvantables je lui ferais, suivies de vibrantes retrouvailles sur l'oreiller…

Las ! L'oreiller dudit lit conjugal dort d'un sommeil de cent ans. Et moi, je ne suis qu'une bourgeoise qui s'ennuie avec un mari trop bon (devrais-je dire trop c… ?) et qui, à trente-deux ans, a déjà un pied dans la tombe.

11 juillet

Je choisis mes amants avec finesse. Ils ne font que rarement partie de mon cercle. D'ailleurs, les pères de famille me font braire. Ils sont pressés et regardent trop souvent leur montre. Je leur préfère des jouvenceaux à la chair ferme qui veulent bien se laisser aller à mon expérience sans tenter de prendre le dessus (dans tous les sens du terme), comme leurs aînés. Pourquoi Guy ne se doute-t-il de rien ? Pourtant, je m'efforce de laisser traîner des indices, afin de piquer sa curiosité. Devant une chaussette masculine qui n'est pas la sienne, trouvée au fond du lit, il sourit, et la met de côté.

Il n'y a rien de plus bête qu'un mari fidèle.

D'ailleurs, cela n'existe pas, un mari fidèle. Guy est une erreur de la nature, un couac de l'embryogenèse. Dans ses veines doit couler le sang somnolent de quelque dynastie éteinte par manque de passion, ou appauvrie par une consanguinité dénuée d'imagination.

28 août

Pourtant, il n'est pas idiot, ce pauvre Guy. Il est simplement fidèle.

Depuis que nous sommes mariés, j'échafaude des stratagèmes machiavéliques pour qu'il me trompe enfin.

J'ai recruté des créatures de rêve, qui sans délicatesse aucune se sont vautrées nues à ses pieds.

En vain. Il leur brandissait son alliance comme l'on agite un crucifix devant un vampire assoiffé d'hémoglobine.

Alors il a bien fallu que je me résigne. Guy ne me tromperait jamais. Cela ne faisait pas partie de son patrimoine génétique.

3 septembre

Il n'y a rien de plus soporifique qu'un mari fidèle, surtout quand c'est le vôtre.

Lorsqu'il s'endort près de vous le soir après avoir effectué son devoir conjugal, et qu'il vous murmure : « bonsoir chérie », la nuit – si jeune encore ! – s'étend platement devant vous comme la mer Morte, ou une toundra aride sans relief, sans surprise, sans anfractuosités.

Un mari qui ne fait pas de bêtises est un mari médiocre. Un époux déloyal, voilà ce qui pimente un mariage ! Un mâle infidèle exsude le péché, suinte la lascivité, respire la concupiscence. Quand on se couche près de lui, on songe aux égarements libertins de sa journée, à ces autres femmes qu'il a dû faire jouir, et on écoute, béate, les mensonges alambiqués qu'il débite avec tant d'ingéniosité.

On ne doit jamais s'ennuyer, avec un mari volage.

10 octobre

Pourquoi ce carnet ? Pour pallier mon ennui. Il ne me quitte pas. Je le ferme avec un minuscule cadenas. Je garde la clef dans une cachette sûre. Personne ne le lira. Un jour, je le brûlerai.

17 novembre

Guy m'a chargée de trouver un nouvel appartement, car notre bail ne sera pas renouvelé. Je dois dénicher un quatre-pièces agréable dans un quartier calme.

1er décembre

Le déménagement a été épuisant. Pendant longtemps, je n'ai pas eu le courage de déballer les derniers cartons. Ils sont restés entassés dans l'entrée.

Un jour de pluie, alors que les enfants étaient à l'école et que je n'attendais personne, j'ai décidé de les ranger enfin. Il s'agissait de paperasses, de fiches de paie, de comptabilité, vieilles photos, cartes routières, dépliants, tout ce que l'on peut amasser avec les années.

Le sommeil me gagne. Ou le courage me manque. Je continuerai plus tard.

18 décembre

J'ai trouvé un café sympathique, où j'aime venir lire les journaux et écrire. Je dois continuer mon histoire. Dehors, il pleut.

Cette paperasse, donc.

Je l'ai triée, jetant ce qui me semblait inutile, mettant de côté les choses pouvant encore servir. C'était un carnet, un peu comme le mien, mais rouge, et plus grand, sans cadenas. Je ne l'avais jamais vu. Je l'ai ouvert. Il y avait des prénoms de femmes, des dates et des lieux. C'était l'écriture de Guy. Cela donnait, à titre d'exemple :

Paris, hiver 98 :
Laure
Yvette
les sœurs Rondoli

Étretat, printemps 2000 :
Fifi
Ludivine
Harriet

Fécamp, juin 2002 :
Adrienne L.

Puis il y avait des commentaires, certains avec des fautes d'orthographe (que je ne reproduirai pas), comme :

Côte d'Azur, été 2004 :
Hermine (dite le Postillon)

Rosalie (bonne)
Adélaïde (trop grosse)
Lise (nulle)

J'ai continué à tourner les pages, à lire ces listes de noms. Je n'y étais pas. Cela m'a vexée.

Je vais commander un autre café.

20 décembre

Il faut bien que j'en finisse avec cette histoire.

Il faut bien que je parle des autres noms de femmes, celles d'après notre mariage. Ce sont des prénoms qui ne me disent rien. Tout ce que je sais, c'est qu'il les a eues à Paris, surtout durant mes grossesses, puis épisodiquement. Mais depuis un an, les pages du carnet rouge affichent de mystérieuses initiales sans dates, ni lieux, ni commentaires.

Cela ne me dérange pas d'apprendre qu'il a eu des maîtresses. Au contraire, j'en suis rassurée.

Ce qui me dérange, c'est que je pense que Guy ne m'aime plus. D'ailleurs, je crois qu'il ne m'a jamais aimée.

Le masque du benêt est tombé. Je vois le vrai visage de Guy. Et ce visage me paraît tout à coup sublime.

24 décembre

Chère Jeanne,

Mon écriture dans ton journal intime va te faire sursauter. Ah, tu l'as enfin trouvé, mon carnet rouge ! Et moi, je suis venu à bout du cadenas sur le tien. Dieu sait que je t'ai mis ce carnet sous le nez depuis des années. Tu ne l'as jamais découvert. Je voulais voir jusqu'où te mèneraient ton effronterie et ta vanité. Tu pensais être la seule à tromper, à mentir. Tu y prenais un plaisir exquis. C'était divertissant. Pendant cinq ans, je me suis amusé à jouer au niais, au bon mari, à l'époux honorable, au cocu qui ferme les yeux. Mais tu penses bien, ma chère Jeanne, que cela ne peut pas durer une vie entière.

Pas une fois tu n'as pu imaginer que, moi aussi, je te trompais. Pas une fois tu n'as eu de soupçons. Tu trouvais cela impayable, de faire passer ton mari pour un imbécile. Ma pauvre Jeanne. Que vas-tu devenir maintenant ? Et tes petits jeunes ? Te tentent-ils autant à présent ? Qui vas-tu pouvoir tromper ? À qui vas-tu mentir ?

Je t'imagine, figée au-dessus de ces pages, dans ce café où tu traînes depuis quelque temps. Et le pire, c'est que tu dois être en train de te rendre compte que tu m'aimes. Je vois d'ici l'amour poindre sur ton museau aigu comme le soleil se levant pour la première fois.

Je vais te quitter, ma pauvre Jeanne, pas seulement en bas de cette page, mais pour toujours, parce que je n'ai plus rien à te dire.

Tu ne m'amuses plus. Tu m'ennuies. Que Dieu te garde, en ce jour de Noël.

Tu avais raison, va! Les maris fidèles, cela n'existe pas.

Guy

Les SMS

Il faut être assez fort pour se griser
avec un verre d'eau et résister
à une bouteille de rhum.

Gustave FLAUBERT (1821-1880),
Carnets

« Allô, c'est SOS Couples en détresse ? Bonjour, madame. Je vous appelle parce que… Voilà… C'est très simple. Il m'est arrivé une chose incroyable, oui, une chose incroyablement horrible, il faut que j'en parle, il faut que j'en parle à quelqu'un, je ne peux absolument pas le dire à ma mère, et j'ai pensé, pourquoi pas vous, puisque j'ai vu votre pub sur Internet. Vous voulez que j'expose le problème ? J'expose… Par où commencer, comment trouver les mots, je ne sais pas… Oui, j'essaye de me calmer. Une respiration profonde, dites-vous ? Je vais essayer. Voilà. Je suis mariée. J'ai trente ans. Je m'appelle Emma. Mon nom ne vous intéresse pas ? Ah bon. Je continue. J'ai un enfant, qui va avoir deux ans. Voilà ma vie. Vous ne me voyez pas, alors je me décris, une jeune femme brune aux yeux noirs, aux pommettes roses – cela ne vous intéresse pas non plus ? Ah bon. Que fait-on quand on apprend qu'on est trompée par son mari ? Pardonnez-moi de vous poser cette question aussi brutalement, mais c'est pour ça que j'appelle. Que dois-je faire maintenant ? Elle paraît idiote, cette question, et j'espère que vous n'êtes pas en train de sourire, c'est idiot, c'est banal, oui, les maris trompent toujours leur femme, on nous le dit, on nous prévient, quand on est toute petite, on voit son père tromper sa mère, son oncle tromper sa tante, son grand-père sa grand-mère, oui, on sait tout ça, on le sait, mais quand c'est votre mari, votre mari à vous, celui-là même à qui vous avez dit oui, toute rougissante dans une église fleurie avec une belle robe blanche, celui-là même qui vous a fait un enfant et qui projette de vous en fabriquer d'autres, celui-là même qui dit vous aimer et qui est si gentil, si tendre, figurez-vous qu'il descend même la poubelle, qu'il sait changer le petit, ne riez pas, s'il vous plaît, je vous ai entendue glousser, ce n'est pas drôle, non, eh bien, moi, je ne m'y attendais pas. Je ne voulais pas m'y attendre, je voulais croire que mon mariage ne serait pas comme les autres. Les autres pouvaient se tromper et se retromper tant qu'ils le voulaient, mais pas moi. Pas mon mari à moi. Et pourtant, c'est ce qu'il a fait, mon mari à moi. Il m'a trompée. Je suis une femme trompée. Comment je l'ai su ? Ah, ça, par contre, ça vous intéresse ? Je vais vous le dire. Je vais vous le dire si vous arrêtez de sourire, je suis sûre et certaine que vous souriez, cela s'entend à votre voix, et je ne trouve pas cela drôle. Voilà. Voilà. J'ai trouvé des SMS sur son portable. J'espionne son téléphone ? Pas du tout ! Ce n'est pas du tout mon style. Absolument pas. Disons que son portable traînait... Ou plutôt, j'avais envie de mettre un peu d'ordre. Il est assez désordonné, mon mari. Je voulais ranger son bureau, et il avait oublié son portable. J'ai jeté un coup d'œil, c'est tout. Voilà. Des SMS d'amour venant d'une femme. Vous vous en doutiez ? Ah bon, c'est si fréquent que ça, des SMS d'amour pas effacés ? Ah bon. Pourquoi a-t-il laissé son portable dans un endroit aussi évident ? Mais je n'en sais rien, moi. Moi, je n'aurais jamais laissé traîner mon téléphone et des SMS compromettants si j'avais un amant. Comment ? Vous dites qu'il voulait peut-être que je les voie ? Il veut que je sache qu'il me trompe ? Je ne vous suis plus. Pourquoi voudrait-il que je le sache ? Pardon ? Que dites-vous ? Parce qu'il... parce qu'il ne m'aime plus ? Non, je ne dis plus rien parce que je ne sais plus quoi dire. Ce que vous me racontez me bouleverse. Si j'ai noté les SMS ? Oui, bien sûr. J'ai tout noté. Vous les lire ? D'accord. Attendez un instant. Voilà. “Mon amour, mon amour, mon amant, mon amant, le souvenir de ces moments passés avec toi me brûle encore et je ne vis que pour nos prochains rendez-vous ardents.” Et ça continue : “Tu es le roi de mes nuits, tu es mon prince, mon dieu, mon souverain, et moi, l'esclave de ton amour.” Ce n'est pas fini, hein, hélas : “Oui, tu es le plus beau de tous les amants. Tu me combles de bonheur, et je me sens vibrer dès que je prononce ton prénom.” Il s’appelle Gustave. Vous trouvez cela vibrant, vous ? “Je t’attendrai, comme d’habitude, à l’endroit convenu. Je t’aime à la folie, je ne puis me passer de toi, tu me rends folle. Je te couvre de baisers passionnés, des pieds à la tête. Ta Lili qui t’adore et qui t’aime.” Ils sont tous signés Lili. Ta Lili ! C’est ridicule, n’est-ce pas ? Qui est cette Lili ? Moi je ne connais personne qui s’appelle Lili. Je n’ai pas trouvé d’Élisa, ou de Liliane, d’Eulalie ou de Magali, ou même de Valérie dans les contacts de son ordinateur… Alors, qui ça peut bien être, cette Lili ? Une fille qu’il a rencontrée à son travail ? Quelqu’un que je connais et qui se cache derrière ce nom ? Et cet endroit convenu dont elle parle, j’imagine que c’est chez elle, dans son appartement, ça ne peut pas se passer chez moi, j’y suis tout le temps. Un hôtel, vous croyez ? Un hôtel de passe ? Je n’arrive pas à imaginer Gustave dans un hôtel de passe. Il n’a pas une tête d’hôtel de passe. C’est quoi, une tête d’hôtel de passe ? Eh bien, je ne sais pas, moi, une tête louche. Comment ? Vous continuez à penser la même chose, qu’il voulait que je le sache ? Vous êtes têtue, vous alors ! Je vais être obligée de vous dire la vérité. J’ai honte, mais tant pis. Au point où j’en suis… Vous vous en doutiez ? Vous aviez raison. Oui, je fouillais son portable et, comme le portable est toujours sur lui, j'ai dû ruser. C'était compliqué, mais j'y suis arrivée. Je suis un peu fouineuse, comme toutes les femmes. Je trouvais qu'il avait l'air bizarre dernièrement. Pourquoi ? Je ne sais pas exactement... Changé d'after-shave ? Mais oui ! Acheté un nouveau costume ? Comment le savez-vous ? Arrive en retard le soir ? Sifflote tout à coup sous la douche ? Passe sa vie à guetter des SMS et se cache pour les lire ? Vous le connaissez, ou quoi ? Vous m'épatez, madame. Il vous est arrivé la même chose ? Oui ? Ah bon ? Ah oui ? Et qu'est-ce que vous avez fait, vous, quand vous avez su qu'il vous trompait ? Vous êtes partie ! Moi, je veux bien partir, madame, mais pour aller où ? Je ne vais quand même pas rentrer chez mes parents avec ma fille sous le bras ! Vous, vous l'avez fait ? Ah ! Si on ne part pas, ils recommencent ? Ah ! Il faut vraiment partir, d'après vous ? Ah ! Il faut leur dire qu'on sait ? Il ne faut plus rester avec un mari infidèle, c'est ça ? Mais puisque vous dites que tous les maris sont infidèles, pourquoi y a-t-il des couples qui durent ? Cela signifie qu'il y a bien des femmes qui acceptent, et qui restent. Elles ferment les yeux, ou alors elles ne fouillent pas dans les affaires de leur mari, elles ne lisent pas les SMS sur le portable de leur mari, elles ne se posent pas de questions s'il change d'eau de toilette, achète des costumes, rentre tard, sifflote sous la douche. Vous pensez qu'il y a un choix quand on apprend qu'on est trompée ? Soit on se tire, soit on s'écrase, si j'ose dire. Vous me conseillez de me tirer ? Avant même de lui avoir parlé ? J'embarque ma fille et hop ? Je ne lui dis même pas : "C'est qui, Lili ?" Parce que moi je veux savoir qui c'est Lili, moi, madame, je refuse que cette Lili me pique mon mari, moi, j'y tiens, à ce mari ! Peut-être que votre mari à vous, vous étiez contente de vous en débarrasser, il sentait mauvais, ou il ronflait, ou il vous battait, je ne sais pas, moi, mais, moi, cela fait quatre ans qu'on est mariés, Gustave et moi. Il peut être gentil, mon Gustave, très dévoué. Vous dites qu'il y aura d'autres Lili ? Excusez-moi, madame, mais je trouve que vous êtes d'un pessimisme navrant ! Vous êtes contre le mariage ? Je l'aurais deviné. Vous devez mépriser les hommes, ça s'entend. D'après vous, un pauvre type qui a une aventure de rien du tout avec une serveuse ou une hôtesse mérite qu'on le plaque pour de bon ? Une épouse qui trouve des SMS d'amour ridicules, bourrés de fautes d'orthographe, dans le portable de son mari doit prendre ses cliques et ses claques ? Eh bien, bravo, madame. Je vous souhaite bien du bonheur dans votre vie étriquée. Je parie que vous avez une tronche de vieille fille et que vous vivez avec un chat miteux, plantée devant des émissions de télé-réalité. Vous riez ? Riez donc. Je préfère mille fois être une épouse compréhensive qu'une femme libérée. Bonsoir, madame. »

La jeune fille au pair

Car c'est double plaisir
de tromper le trompeur.

Jean de La Fontaine (1621-1695),
Le Coq et le Renard

Au dernier étage d'un magasin luxueux de la rue de Passy, deux jeunes femmes déjeunaient légèrement d'une tourte Château-Thierry et d'une salade Vaux-le-Vicomte. Le restaurant où elles se trouvaient dominait les toits gris de Paris, et possédait une atmosphère raffinée et feutrée qu'on eût dite d'outre-Manche.

L'une d'elles était blonde, au teint pâle et délicat, aux yeux bleu clair. Elle portait une veste lapis-lazuli, gansée de soie bistre, avec des boutons ronds et dorés qui rappelaient les boucles d'oreilles fixées sur ses lobes fins. Ses cheveux lisses, ramenés en arrière, dévoilaient un front enfantin, où quelques rides se dessinaient à peine. Ses doigts blancs semblaient trop fragiles pour arborer à l'annulaire gauche un diamant rond, et à l'auriculaire droit une lourde chevalière en or.

L'autre jeune femme portait une redingote en cuir sur un chemisier ivoire. Ses cheveux mordorés flottaient autour d'un visage expressif, un peu marqué, aux yeux noisette, aux pommettes hautes et aux lèvres fines et rouges. Sur ses mains carrées aux ongles courts ne brillait qu'une alliance.

Marguerite, la blonde, était attachée de presse pour une maison de prêt-à-porter. Marie, la brune, dirigeait la publicité d'un magazine hebdomadaire féminin. Elles déjeunaient ensemble une fois par mois pour leur travail et prenaient plaisir à se retrouver.

À une table voisine, une femme élégante et plus âgée s'installa. Elle leur adressa un sourire cordial, puis manipula son téléphone portable en attendant son invitée. Marguerite et Marie lui sourirent poliment en retour.

— Tu as vu ? murmura Marie.

— Oui. Elle s'est fait lifter, répondit Marguerite à voix basse.

— C'est raté, je trouve.

— Monstrueux.

— Ne regarde pas tout de suite, mais Marie-Hélène vient d'arriver avec le même sac que toi.

Marguerite darda l'objet d'un prompt coup d'œil, puis retroussa un sourcil dédaigneux.

— C'est un faux. Ce coloris n'existe pas. Elle a dû le commander place du Palais-Bourbon, chez celui qui fait d'assez bonnes imitations.

Marie se pencha sur sa tablette numérique, faisant défiler des images d'un index impatient.

— Où en étions-nous ?

— Je te parlais du lancement du parfum.

— Bien. Voici ce que je te propose.

Marguerite écoutait, distraite. Elle regardait par la fenêtre d'un air las.

Marie la dévisageait.

— Qu'as-tu ?

Marguerite commanda les cafés, et joua avec une cuiller.

— Je suis épuisée.

— Oui, tu as l'air fatigué.

— Je le suis.

— As-tu une surcharge de travail en ce moment ?

— Pas plus que d'habitude.

Marie but son café. Marguerite ne toucha pas au sien.

Puis elle dit :

— Je ne sais pas si je dois te le dire… Après tout, nous ne sommes pas intimes…

— Parfois, c'est plus facile de se confier à quelqu'un qu'on connaît moins bien.

— C'est vrai.

Silence.

— Si tu veux, tu peux me parler.

Marguerite hésita.

— Oui, j'en ai envie. J'aurais trop honte de raconter ça à mes amies les plus proches.

— J'imagine que ça concerne ton mari ?

— Effectivement.

Marguerite avait rougi. Elle baissa les yeux. Puis elle affronta le regard sombre de Marie.

— Promets-moi que tu le garderas pour toi.

— Ma chérie, je te le jure sur la tête de ma fille.

Marguerite hésita de nouveau. Elle but son café, qui tiédissait, et regarda autour d'elle, étudia ce brouhaha de déjeuners bourgeois, le va-et-vient des serveuses, le défilé incessant de femmes bien mises. Elle remarqua, pour la première fois, qu'il n'y avait pas d'hommes dans ce restaurant. C'était un gynécée ouaté, où l'on venait entre femmes pour parler d'hommes.

Marie, la voyant temporiser, s'approcha et dit à voix basse :

— Ton mari a fait des bêtises ?

Marguerite baissa son regard d'azur.

— Oui.

— Qu'a-t-il fait ?

Marguerite la regarda enfin.

— Jean me trompe.

— Il te trompe ?

— Ne parle pas si fort, on nous observe, fit Marguerite sèchement. Oui, Jean me trompe !

— Comment le sais-tu ?

Marguerite commanda un autre café.

— Je le sais.

— As-tu trouvé des indices ?

Marguerite ricana, dévoilant de minuscules incisives blanches.

— Je l'ai vu.

Marie se redressa.

— Tu l'as vu en train de te tromper ?

— Oui.

— Ma chérie, quelle horreur !

Silence.

— C'était qui ?

— La jeune fille au pair.

Silence, de nouveau.

— C'est horrible.

— Absolument horrible, répéta Marguerite.

— Tu en es sûre ? Tu n'es pas en train de divaguer ?

— Reste-t-il encore quelque chose à imaginer quand on surprend son mari au lit avec la jeune fille au pair ?

— Quelle horreur, répéta Marie. Que vas-tu faire, ma chérie ?

Marguerite sourit encore.

— Ce que je vais faire ? Tu veux le savoir ?

— Moi, je serais capable de me tuer si mon mari me faisait ça.

— Non, je ne vais pas me tuer.

— Alors je ferais une dépression.

— Non, je ne vais pas faire de dépression.

— Alors je le quitterais.

— Je ne le quitterai pas non plus.

— À cause des enfants ?

— Évidemment, à cause des enfants. J'ai une bien meilleure idée.

— Laquelle ?

— Je vais le tromper ! Je lui raconterai mon aventure sans omettre aucun détail scabreux. Il va se tordre de douleur, mordre la poussière. Il regrettera ce qu'il m'a fait pour le restant de ses jours. Ce sera ma suprême vengeance.

— Œil pour œil, dent pour dent ?

— Parfaitement.

— Avec qui vas-tu le tromper ?

— Avec son meilleur ami, Pierre.

— Tu es folle ! Ton mari va te tuer.

Marguerite rougit à nouveau, mais de rage cette fois.

— Folle ? Mets-toi à ma place ! Imagine qu'en rentrant chez toi à l'improviste, en pensant à autre chose, à un shooting, aux collections ou à un mailing, tu vas dans ta chambre et tu découvres une vision d'horreur. Ton mari au lit avec une Suédoise de dix-huit ans.

Marie frissonna.

— Comment est-elle, cette Suédoise ?

Marguerite tira sur sa cigarette électronique.

— Beaucoup trop séduisante. Blonde, un corps de rêve. Je n'aurais pas dû l'embaucher. Cependant, vois-tu, je croyais Jean au-dessus de ce genre de chose. C'est un homme très occupé. Il est pris par la banque, le Dow Jones, le CAC 40, par ses week-ends de golf, ses parties de polo. Je suis abasourdie. Comme quoi les hommes sont des bêtes, au fond, tu ne trouves pas ?

— Absolument. Il vaut mieux recruter une vieille Philippine moche et grosse. Je n'aurais pas été tranquille, sachant mon mari seul à la maison avec une Scarlett Johansson bis. Il ne faut pas les tenter, ces messieurs ! Surtout ceux qui ont la trentaine.

— Il paraît qu'à cinquante ans, soupira Marguerite, c'est encore pire, à cause du démon de midi. Il commence un peu tôt, le mien, avec son démon de huit heures du matin, non ?

— Comment vas-tu t'y prendre, avec son ami Pierre ? questionna Marie.

— J'irai droit au but. Je lui demanderai de coucher avec moi.

— Et s'il refuse ?

Il ne refusera pas.

— As-tu séduit beaucoup d'hommes depuis ton mariage ?

Piquée, Marguerite haussa les épaules.

— Séduire un homme, cela ne s'oublie pas. Même si l'on est mariée depuis dix ans.

— As-tu parlé avec Jean ?

— Il ne sait pas que je sais. Je suis sortie de la pièce sans bruit.

Ils ne m'ont pas vue.

— Ils dormaient ?

— Non, ils baisaient. Il la prenait par-derrière, comme une chienne.

— C'est épouvantable.

— Épouvantable. En pleine matinée, dans ma chambre. Dans mon lit.

— C'est ignoble. Comment as-tu pu dormir dans votre lit, ce soir-là ?

— Je n'ai pas pu.

— Où as-tu dormi, alors ?

— Je vais dormir chez Pierre, ce soir. C'était ce matin. Regarde, j'ai mon baise-en-ville.

Elle souleva une élégante besace.

— Tu m'impressionnes, Marguerite.

— Tu ferais la même chose, à ma place.

— Je crois que je les aurais tués tous les deux.

— Je dois être plus calme que toi.

— Et plus machiavélique. Et si Pierre te dit non ?

Marguerite saisit son téléphone portable qu'elle compulsa rapidement, rangea la cigarette électronique dans un étui, puis demanda l'addition.

— Marie, un homme ne peut refuser une femme qui se donne à lui comme je vais le faire. Pierre ne résistera pas, même si je suis l'épouse de son meilleur ami. Au contraire, cela devrait l'exciter davantage.

— Et après ?

Une moue.

— Après, on verra.

— Donc, tu n'avais jamais trompé Jean ?

— J'aurais dû. Je me sens si bête, si gourde ! Si j'avais su…

Marie rit doucement.

— Moi, je l'ai fait.

— Tu as trompé ton mari ?

— Oui. Je venais d'avoir ma fille. Je me trouvais moche. C'était au Touquet, pendant l'été. Mon mari travaillait à Paris.

— Et alors ?

— Et alors, il y avait un jeune homme, pas mal, un peu plouc, qui me tournait autour. J'accompagnais mes beaux-parents sur le golf, et il me suivait. Finalement, j'ai dit oui, parce que je m'ennuyais. On a fait l'amour dans un rough, très vite.

— C'était bien ?

— Non, pas génial. Après, je lui ai dit que mon mari allait revenir, qu'il fallait qu'il me laisse tranquille. Je n'ai même pas su son nom.

— Et depuis ?

— Depuis, je suis fidèle. J'ai peur du sida.

— Ciel ! s'exclama Marguerite en laissant tomber son portable sur la nappe.

— Quoi ?

— Les capotes !

— Quoi, les capotes ?

— Je n'ai pas de capotes !

— Et alors ?

— Je ne peux pas coucher avec Pierre sans capotes, voyons !

— Crois-tu qu'il en a mis, des capotes, ton mari, avec la Suédoise ?

— La Suède est un des pays où l'on en utilise le plus. Les Nordiques sont hypercapotés.

— Va donc en acheter à la pharmacie.

Marguerite se mordait les lèvres.

— Je suis embêtée.

— Par quoi ?

— Cela me gêne d'en acheter.

— Je les achèterai pour toi, si tu veux.

— Figure-toi que je n'ai aucune idée de la façon dont cela se met. Je n'ai jamais mis un préservatif à un homme de ma vie.

— Ton Pierre saura, lui. D'habitude, ils l'enfilent eux-mêmes. Ça se déroule comme une chaussette. Il ne faut pas se tromper de côté. C'est un coup de main.

— Tout cela fiche en l'air mon plan. Comment veux-tu que je le séduise si je dois lui enfiler ce truc ?

— Il le fera lui-même.

— Oui, mais qui parle de capote, lui ou moi ? Comment cela se passe, maintenant ? C'est la première fois que je me retrouve dans ce genre de situation. Et que faut-il dire, exactement ? « As-tu pensé à mettre un bidule... un machin... » Quelle horreur ! Cela me coupe mes effets.

— Moi, je ne dirais rien, et je la lui mettrais moi-même.

— Et si je me trompe de côté ? Et s'il perd ses moyens parce que je m'y prends comme un manche ? C'est un cauchemar, cette histoire.

— Il y a des tailles et des modèles différents.

— Non !

— Si. Il y a king size, super king size et extra super king size.

— Cela signifie quoi ?

— Que les hommes supportent mal l'idée d'entrer dans une pharmacie pour demander un paquet taille « moyenne ». Puis il y a lubrifié, pas lubrifié, goût vanille, poire, banane, fraise, fluorescent, vert ou rose, à motifs ou sans, avec stimulateur ou sans, avec réservoir ou sans... Je continue ?

— Où as-tu appris cela, Marie ?

— À un moment, je ne supportais plus la pilule... Veux-tu que je t'accompagne en acheter ? Je t'aiderai à choisir. Marguerite poussa un soupir.

— Oh non, merci, ma chérie. Je crois que je vais tout simplement aller casser la gueule à mon époux. C'est moins compliqué.

Elle changea le gros diamant de doigt, le mettant à l'annulaire de sa main droite. L'épaisse chevalière et la bague s'entrechoquèrent. Elle ferma sa main et l'observa.

— Regarde mon joli poing américain. Cette bague de fiançailles va enfin servir à quelque chose, dit-elle.

— Quoi donc ?

— Si je vise bien, à faire sauter son bridge.

Le répondeur

Ne pouvant pas supprimer l'amour,
l'Église a voulu au moins le désinfecter
et elle a fait le mariage.

Charles BAUDELAIRE (1821-1867),
Mon cœur mis à nu

Avril 1992

— Quelqu'un a encore tripoté le répondeur, il clignote !

— Quoi ?

— Mais enfin, regarde, il est cassé. Cela fait une journée qu'on l'a et il est déjà cassé.

— Tu as mal appuyé sur le bouton.

Charles se pencha sur la machine.

— Voilà. Tu as vu ? Réparé.

Lola haussa les épaules.

— Je trouve qu'il est compliqué. Je ne m'y ferai jamais.

— Tu n'as qu'à demander à tes fils. Ils t'expliqueront.

Elle observa la petite boîte marron.

— Je dois être vieux jeu. Je déteste ces machines. Je n'aime ni laisser un message ni écouter les messages qu'on me laisse. Je ne sais jamais sur quel bouton appuyer.

— Il est super chouette, en plus, celui-là, lança Sébastien, dix ans. Il y a une voix qui donne le jour et l'heure exacte du message, ce que la plupart des gens oublient de dire, et il ne tient même pas compte des raccrochages !

— Comment ça ? demanda Lola. Alors il fait quoi, si quelqu'un raccroche ?

— Ben, il n'enregistre plus ce bip-bip-bip horrible. Il n'affiche même pas de message reçu. Il ignore le raccrochage.

— Et en plus, ajouta Benjamin, onze ans, on peut l'interroger à distance.

— Incroyable, fit Lola, ironique.

— Tu devrais apprendre à t'en servir, au lieu de critiquer bêtement, dit Benjamin.

— C'est très pratique, un répondeur, déclara Sébastien.

La sonnerie du téléphone retentit et toute la famille se dressa.

— On va le tester. En place ! cria Charles, excité comme un gamin.

Tous observaient la boîte brune. À la troisième sonnerie, on entendit la voix grave de Charles retentir dans la pièce : « Bonjour ! Vous êtes bien au 40-89-34-56. Vous pouvez laisser un message pour Lola, Sébastien, Benjamin ou Charles, et ils vous rappelleront. Parlez après le signal sonore, merci et à bientôt. »

— C'est trop long, ton message, dit Lola.

— Chut ! Écoute !

« Bonjour, c'est Alexandre pour Benjamin. Il peut me rappeler quand il veut. Au revoir. »

Un cliquetis de machinerie complexe se fit entendre, puis une étrange voix métallique : « Samedi, dix-huit heures trente-trois. »

— Extraordinaire, non ? fit Charles. Regarde, chérie, je vais te montrer comment écouter ce message. Rien de plus simple. Imagine qu'en rentrant à la maison, tu vois que ce témoin-là est allumé. C'est donc qu'il y a un message. Pour l'écouter, tu appuies ici. Essaie.

Elle appuya, et le message d'Alexandre défila de nouveau, ainsi que la voix métallique.

— Maintenant que tu sais qu'Alexandre a appelé, tu as deux possibilités. Tu peux effacer le message, mais comme il est pour Benjamin, vaut mieux pas.

— Ah, que non ! bougonna l'intéressé.

— Alors tu le laisses tel quel jusqu'à ce que Benjamin l'écoute et l'efface lui-même. Mais imaginons que ce message ait été de… je ne sais pas moi, Sylvie, ou une autre de tes copines…

— Fanny ! minauda Benjamin, main sur la hanche.

— Caroline ! chantonna Sébastien en se dandinant.

— Arrêtez, les garçons, vous êtes idiots.

— Je reprends, fit Charles. Donc, tu trouves un message qui t'est destiné. Tu l'écoutes en appuyant sur le bouton, puis à la fin, tu l'effaces, comme ceci. Je peux ? demanda-t-il à Benjamin, qui hocha la tête.

Charles appuya sur une autre touche. On entendit le message se rembobiner.

— Voilà ! Effacé. Facile, non ?

— Y a un autre truc qu'il faut expliquer à maman, dit Sébastien. Quand on prend un appel au moment où le répondeur se déclenche parce qu'on a oublié de l'éteindre, ça enregistre la conversation. Et comme ça use la cassette, il ne faut pas oublier de tout effacer après.

— Très bon point, approuva Charles. Tu as compris, chérie ?

— Je crois.

— Tu vas voir, cela va te changer la vie, ce répondeur !

Plus tard, Lola dit à son mari :

— Tu me trouves idiote parce que je ne sais pas comment faire marcher le répondeur ?

Il la regarda avec surprise.

— Mais enfin, Lola !

— J'ai l'impression que tu me trouves idiote.
— Qu'est-ce que tu racontes ?
— Je me sens vieille et moche.
— Tu as trente-trois ans !
— Et ça se voit.
— Tu es folle. Tu es belle, et tu le sais.

Le lendemain, quand elle rentra de ses courses, le voyant du répondeur était au rouge. Elle posa ses paquets et s'agenouilla près de la machine. Très concentrée, elle appuya sur un bouton. Un message pour l'aîné, un autre pour le cadet. Rien pour elle. Elle se sentit déçue, mais fière d'avoir su faire fonctionner l'appareil. Alors qu'elle déballait ses sacs dans la cuisine, le téléphone sonna. Perchée sur un tabouret à ranger des pots de confiture sur une étagère, elle se permit le luxe de laisser la machine répondre à sa place.

C'était Charles.

« Chérie, c'est moi, je pars tout à l'heure comme prévu à Bruxelles pour une présentation. Ne m'attends pas ce soir, je vais peut-être devoir passer la nuit sur place. Si tu as besoin de me joindre, Nicole a toutes les coordonnées. Je t'embrasse ! » Lola soupira en descendant du tabouret. Charles était souvent en déplacement. À l'aube de ses trente-quatre ans, il avait atteint un poste important dans l'agence de publicité où il travaillait, et depuis deux ans il passait rarement une semaine entière chez lui. Lola s'était habituée tant bien que mal à ses absences. Les garçons avaient leur vie, leurs amis, l'école. Il lui semblait qu'elle n'avait plus rien. Les journées s'étendaient devant elle, plates, lisses et monotones. Elle aurait dû reprendre le travail après la naissance de Sébastien, mais elle avait choisi d'élever ses fils. Pendant huit ans, ce fut épanouissant.

Les garçons grandissaient. Ils avaient moins besoin d'elle. Elle s'ennuyait. Surtout, elle avait peur de devenir ennuyeuse. Charles semblait heureux avec elle, mais l'était-il ? Elle devrait peut-être avoir ce troisième enfant, cette petite fille dont ils rêvaient. Il n'était pas trop tard.

Lola s'installa dans le canapé et alluma une cigarette, songeuse. Le téléphone sonna encore. Elle ne bougea pas, laissant la machine répondre pour elle.

« Salut, ma cocotte, c'est Fanny. C'est super, ce nouveau répondeur. Qu'est-ce que tu dirais d'un cinoche cet après-midi ? Rappelle-moi. Salut ! »

Elle n'avait pas envie de rappeler Fanny, dont l'enthousiasme l'agaçait parfois. Elle s'approcha du répondeur afin d'effacer les deux derniers messages. La machine obéit à ses ordres. Charles serait content ! Elle se rembrunit. Pourquoi toujours se référer à Charles ? Pourquoi s'efforçait-elle de bien faire, comme une élève devant son professeur ? Irritée, elle alluma une autre cigarette et décida de confectionner une tarte aux pommes pour les garçons. Et la journée se déroula ainsi, longue et grise, jusqu'à l'arrivée salvatrice de ses fils.

Charles fut absent une bonne partie de la semaine. Quelques jours après son retour, Lola reçut un appel de sa mère, qui vivait seule à Honfleur. Elle désirait voir sa fille et ses petits-fils.

— Emmène donc les garçons en Normandie pour le week-end, cela leur fera du bien de prendre l'air, dit Charles. Et tu te reposeras aussi un peu.

— Je ne suis pas fatiguée, protesta-t-elle.

— Mais si, tu as des cernes !

Elle rosit.

— C'est parce que tu m'as empêchée de dormir une bonne partie de la nuit.

Il l'enlaça, flatta sa croupe d'une main affectueuse.

— Tu m'as manqué...

Charles s'était rarement montré aussi empressé. Depuis qu'il était rentré de Bruxelles, ils avaient fait l'amour avec une fougue inhabituelle.

— Tu viendras aussi chez maman ?

Il nouait sa cravate.

— Je ne pense pas que je pourrai, chérie. Je voudrais profiter de l'appartement vide pour travailler et mettre de l'ordre dans mes fichiers. Tu comprends ?

— Oui, mais c'est dommage. Les garçons te voient si peu. Quant à maman…

— Tu sauras lui expliquer, n'est-ce pas, chérie ? Il faut que je file. À ce soir. Ne m'attends pas pour le dîner.

Il s'éclipsa. Elle soupira et remit en ordre le lit dévasté. Si Charles se montrait aussi amoureux à chaque retour de voyage, se dit-elle, cela n'était pas si mal.

Elle passa le week-end chez sa mère, avec ses fils. Le samedi soir, vers onze heures, elle appela Charles. Elle tomba sur le répondeur, ne sut que dire, et raccrocha. Où donc était-il un samedi soir, à onze heures ? Peut-être qu'il travaillait, qu'il laissait le répondeur en marche pour être tranquille. Elle rappela et laissa un message qu'elle trouva haché et gauche. Le lendemain, elle fit une autre tentative vers neuf heures, puis à midi. Toujours le répondeur et la voix enregistrée et gaie de Charles. Elle ne laissa pas de message. Vers dix-sept heures, alors qu'elle allait repartir avec ses enfants, Charles téléphona.

— Mais où étais-tu ? demanda-t-elle, agacée.
— Ici, voyons, je travaillais !
— Il y avait le répondeur.
— Tu sais bien que je voulais être tranquille.
— J'ai appelé plusieurs fois, je ne comprenais pas...
— J'ai eu ton message hier soir, lorsque j'ai fini de travailler, mais il était trop tard pour te rappeler. Je ne voulais pas réveiller ta mère. Vous rentrez ?
— On arrive, lâcha-t-elle, subitement lasse.

Une autre semaine se déroula, puis deux autres encore, monocordes. Lola se sentit fatiguée. Elle était pâle, engourdie, amorphe. Son amie Fanny lui suggéra de consulter un médecin. Elle prit rendez-vous chez son généraliste, qui ne lui trouva rien d'alarmant. Il lui prescrivit des analyses de sang et un prélèvement d'urine.
— Vous avez peut-être une légère anémie. Je vous appelle demain s'il y a quelque chose d'anormal. En attendant, reposez-vous.

Le lendemain, en rentrant à la maison en fin de journée, elle vit qu'il y avait un message sur le répondeur. C'était Caroline, une amie. Elle l'écouta à peine, puis se pencha pour l'effacer. La cassette se rembobina longuement. Elle se leva pour chercher une cigarette. Tout à coup, la machine émit des grésillements étranges.

— Zut ! j'ai dû me tromper de bouton !

Elle appuya sur une touche, puis sur une autre. Les crépitements cessèrent, mais la cassette se déroulait toujours. Elle ne savait comment l'arrêter, elle essayait toutes les touches.

— Oh merde !

Elle imaginait déjà l'expression exaspérée de Charles.

Tout à coup, des éclats de voix se firent entendre. Après quelques instants, elle reconnut la voix de Charles.

« Apollonie, je te demande de te calmer ! »

Lola se figea, s'approcha de la machine.

Une voix jeune et ferme de femme inconnue s'éleva.

« Comment veux-tu que je me calme, Charles ?

— Essaie, Apollonie, s'il te plaît. Cela ne sert à rien de se mettre dans des états pareils. »

Lola était perdue. Puis elle comprit que Charles devait avoir décroché le combiné pour répondre alors que la machine se mettait en marche simultanément. Celle-ci avait enregistré une conversation entre Charles et cette inconnue, cette dénommée Apollonie.

Lola enclencha le bouton « pause ». La cassette s'arrêta. Avait-elle envie d'entendre la suite ? Ne ferait-elle pas mieux de tout effacer, comme si elle n'avait jamais entendu ces voix, pour vivre dans l'ignorance, se protéger ? Charles croyait sans doute qu'il avait effacé cette conversation. Il avait dû faire une fausse manœuvre, et n'en gommer qu'une partie.

Sans hésiter davantage, Lola remit la cassette en marche en relâchant la touche « pause ».

« Voilà un an que tu me promets de quitter ta femme, un an que tu me dis que tu t'emmerdes avec elle, que tes gamins t'envahissent, que cette famille te pompe, que tu veux retrouver une deuxième jeunesse !

— Apollonie, écoute…

— Non, j'en ai marre, Charles. Tu sais bien que moi je peux te donner cette deuxième jeunesse, mais tu n'as pas le courage de quitter ta femme, voilà tout, tu n'es qu'un lâche !

— Écoute-moi. Ils ne vont pas tarder à rentrer.

— Alors n'oublie pas de défaire ton lit et de manger ce que bobonne t'a laissé dans le frigo. Sinon elle va comprendre que tu n'as pas mis les pieds chez toi du week-end.

— Je t'appelle tout à l'heure, et on se voit demain à treize heures, d'accord ? Tu t'es calmée ?

— Tu m'aimes ?

— Oui, bien sûr, mais arrête de jouer les petites filles gâtées, veux-tu ? Je ne peux pas tout balancer par la fenêtre, ma femme ne le supporterait pas. Elle a besoin de moi, tu sais. Je suis tout pour elle. Et mes fils sont encore petits. Ce serait un crime de les quitter maintenant. Ils m'en voudraient leur vie entière. Il faut me donner du temps, ma jolie. D'accord ?

— D'accord, d'accord ! Mais je te préviens, je ne vais pas attendre dix ans. Dans dix ans j'aurai l'âge de ta femme. Tu ne voudras plus de moi. »

Charles éclata de rire.

« J'aurai toujours envie de toi, de ton corps de déesse… À demain, ma toute belle. On se retrouve rue du Dôme. »

Apollonie envoya un baiser dans le combiné. Ils raccrochèrent tous les deux.

« Dimanche, dix-huit heures quinze », ânonna la voix métallique.

Avant que Lola pût réagir, le téléphone sonna de nouveau. Anéantie par ce qu'elle venait d'écouter, elle s'immobilisa. Le répondeur se déclencha. Après le bip sonore, la voix de son médecin se fit entendre.

« Bonjour, ici le Dr Aupick. J'ai d'excellentes nouvelles pour vous, confirmées par la prise de sang. Vous attendez un bébé, chère madame ! Je vous prie donc de prendre contact avec votre obstétricien. Toutes mes félicitations, chère madame. Je vous envoie les résultats des analyses. À bientôt. »

« Jeudi, quinze heures trente-sept. »

Lola, tétanisée, ne bougeait plus. Elle respirait par saccades brèves, bouche ouverte, comme si elle venait de recevoir un coup violent.

Puis, très vite, avant de réfléchir, elle appuya sur la touche « effacer » du répondeur. Tous les messages se rembobinèrent. Elle vérifia que la bande était vierge. Apollonie, Charles et le Dr Aupick s'étaient volatilisés.

Lola respira et se leva. Elle posa ses mains sur son ventre plat.

Dedans, il y avait un bébé. Elle sourit. Ce serait une fille, elle en était sûre.

Le cheveu

Il vaut mieux encore être marié
qu'être mort.

Molière (1622-1673),
Les Fourberies de Scapin

Cher Jean-Baptiste,

Oui, j'ai tout cassé. Il ne reste rien. Le service de cristal est en miettes. Les assiettes de porcelaine sont des puzzles. Les tableaux sont lacérés. Les canapés éventrés. Les livres déchirés. Ton ordinateur explosé. La télévision et le lecteur DVD hors d'état de nuire. Ton iPad est dans la cuvette des W-C. Tes costumes n'ont ni bras ni jambes. Tes chaussures se sont noyées dans de l'eau de Javel.

J'ai créé ce désordre assez méthodiquement. J'ai voulu m'attaquer à ce qui représentait nos huit années de vie commune. Regarder les albums photos m'a fait de la peine. Ces images d'un bonheur évanoui, d'une félicité fugace, ces visages heureux, ces scènes familiales, notre voyage de noces, notre premier Noël, les anniversaires, les vacances, je n'ai pas pu les regarder. Alors je les ai brûlés, un à un, avec toutes tes lettres.

J'ai eu du mal avec les CD et les DVD. Ils sont assez résistants. J'en suis venue à bout avec de gros ciseaux. J'ai surtout aimé détruire *La Wally* et cet air chanté à notre mariage : « *Ebben ? Ne andrò lontana.* » Je crois que je ne veux plus jamais l'écouter.

Comment j'ai su ? Cela te travaille, n'est-ce pas ? Je t'imagine si bien, cette lettre entre les mains, tremblant, vacillant, à peine debout dans ce chantier, ce cimetière, ce chaos qui a été notre appartement, et tu ne comprends toujours pas comment j'ai su.

Pendant que tu te creuses la cervelle, je voudrais te dire une ou deux choses.

Je me souviens clairement de notre première rencontre. Nous avions vingt-cinq ans. Je te trouvais beau, grand, charmant. Tu m'as souri. Il y avait du monde à cette soirée. Nous nous sommes parlé. La nuit entière. Et nous nous sommes revus. Et nous nous sommes mariés. Puis il y a eu Angélique. Tu voulais une fille. Tu rêvais d'une fille. Quand elle est née, tu pleurais. Je me rappelle tes larmes et tes grandes mains sur son petit corps fragile. Tu m'as dit que c'était le plus beau jour de ta vie. Puis il y a eu Octave. Tu t'es moins intéressé à lui. Il le sait. Il le sent. Il n'a que quatre ans, mais il ressent tout. Il est d'une sensibilité extraordinaire, que tu n'as jamais remarquée. Il a compris que tu m'as fait du mal, même si j'ai veillé à ne rien dire aux enfants. Il m'a dit qu'il ne voulait plus que tu me fasses de la peine. Je crois qu'il a raison. Ils sont avec moi. Ils ne savent rien.

Je suis revenue ici, une dernière fois, et j'ai tout cassé. Tu ne m'en croyais pas capable, n'est-ce pas ? Ta chère femme, si douce, si gentille, si bien élevée. Une mère si patiente. Une épouse exemplaire. Tu raconteras à l'assurance qu'une bande de voyous a saccagé ton appartement. Cela doit arriver tous les jours.

J'ai eu envie de te blesser en détruisant les objets que tu aimais. Ça m'a soulagée. Tu dois trouver ça indigne de moi. Mais je me sens mieux. Je contemple cette débâcle, et je respire. La violence est montée en moi comme un volcan en éruption. Je l'ai laissée exploser. Maintenant je suis calme. La tempête est passée. Je sais que, désormais, je ne veux plus vivre avec toi. J'ai compris cet été que tu me trompais. J'étais en Bretagne avec les enfants. Tu travaillais à Paris. À mon retour de vacances, je trouvai un long cheveu noir dans la baignoire. Personne ici, à part toi, n'a les cheveux noirs. Les tiens sont courts. Celui-là mesurait au moins trente-cinq centimètres. Il gisait sur l'émail blanc comme un long serpentin. Je l'ai regardé, puis j'ai rincé la baignoire. Je n'ai rien dit.

Quelques semaines après, j'en trouvai un autre sur ton chandail. Long et noir. Encore une fois, j'ai gardé le silence. Tu me connais. Je ne suis pas le genre à faire du bruit. Je reste dans mon coin. Je note. J'observe. Je crois bien que je ne t'ai jamais fait une scène de ma vie. J'ai trop pris sur moi pendant des années. Ce que tu contemples en est le résultat. C'est dangereux, parfois, de ne pas se laisser aller à sa rage. Regarde où on en arrive.

Puis, un jour, je suis partie quelques jours pour le travail. Ta mère a gardé les enfants. En rentrant, j'ai trouvé un long cheveu noir sous ton oreiller. Alors, j'ai fait ce que les femmes font quand elles ont un doute. Je t'ai suivi. Cette filature m'a demandé une certaine organisation. On ne devient pas détective privé du jour au lendemain.

Je t'ai vu avec elle. Une grande fille aux cheveux longs et noirs, assez belle, souriante, mince et ronde à la fois. Vous étiez entrés dans un café près de ton bureau, en fin d'après-midi. Tu la regardais avec tant d'amour, tant de passion, que je faillis vomir. Tu buvais ses paroles, tu caressais ses mains, ses épaules, ses cuisses sous la table. Vous vous êtes embrassés sensuellement. Je remarquai que tu ne portais plus ton alliance. C'est à ce moment-là que j'ai décidé de te quitter.

Le soir, quand tu es rentré, l'alliance était de nouveau à ton doigt. J'attendais sa présence comme la confirmation de mes projets. Oui, j'allais te quitter. Pas tout de suite. Mais bientôt.

Je ne veux pas entendre tes explications. Je suppose que toute épouse trompée doit écouter les excuses de son mari, mais j'ai choisi de ne pas subir les tiennes. Pour moi, tu n'as aucune excuse. En rentrant le soir, tu passes du mari adultère au père de famille épanoui avec une facilité stupéfiante. Tu restes des heures avec les enfants, surtout Angélique, à lui lire des histoires, à l'aider pour ses devoirs. À moi, tu parles gentiment. Tu es tendre et attentionné. C'est cela qui m'a blessée, l'impudence de ta double vie, la complaisance avec laquelle tu endosses à volonté un rôle puis l'autre. Tu nous as trompés tous les trois, Angélique, Octave et moi. Maintenant c'est fini. Le rideau est tombé, Jean-Baptiste.

J'ai longtemps mûri mon départ. Il fallait trouver le bon moment, l'instant parfait. Entre-temps, j'ai connu le nom, l'adresse et la profession de ta maîtresse. Armande B., 40, rue Richelieu, Ier. Esthéticienne dans un salon de beauté au 19, rue Mazarine. J'y suis même entrée, dans ce salon, pour acheter du rouge à lèvres. Elle était gentille, professionnelle, bien maquillée, en blouse blanche. Pendant qu'elle me tournait le dos, j'eus l'envie subite de la tuer. Il n'y avait personne dans le magasin. J'aurais pu la poignarder, plonger un couteau dans ce dos blanc et sortir, ni vu ni connu.

J'ai payé en liquide afin d'éviter de lui révéler mon identité. Elle ne se doutait de rien. Elle me parlait poliment. Je fus tentée de lui dire : « Je suis la femme de Jean-Baptiste. Je sais tout » pour voir son expression s'altérer. Mais je suis partie. Je voulais prendre mon temps.

Pendant deux mois encore, j'ai subi tes mensonges, les prétendus embouteillages responsables de tes retards, les réunions surprises, les week-ends où untel t'appelait pour travailler sur un dossier urgent. Tu déployais l'arsenal complet du mari infidèle. J'acceptai cela en silence. Je préparais ma vengeance. Puis vint le jour où tu me dis devoir partir une semaine en déplacement pour ton travail. Le lendemain de ton départ, j'appelai le salon de beauté pour prendre un rendez-vous d'épilation avec Mlle B. On me répondit qu'elle avait pris une semaine de vacances. Je téléphonai alors à l'hôtel où tu logeais. Je demandai Armande B. On m'apprit qu'il n'y avait personne d'enregistré sous ce nom-là. « Ah, suis-je bête ! dis-je d'une voix enjouée, bien sûr, elle s'appelle maintenant Mme Jean-Baptiste Jourdain. » On me dit alors que M. et Mme Jourdain étaient sortis. Elle était donc bien avec toi.

Tu appelais tous les soirs, conversant longuement avec Angélique, puis avec Octave. C'était invraisemblable de penser que tu étais avec une autre femme, que tu dormais avec elle, alors que tu me disais mille choses tendres. Cela ne fit qu'accroître mon désir de vengeance.

Le soir de ton arrivée, tu es rentré tôt, avec des cadeaux pour la famille. Les enfants étaient ravis. Cette nuit-là, tu me fis l'amour longuement. Tu t'appliquais. J'endurais en silence. Ce fut monstrueux. Tu m'as dit que tu m'aimais. Je voulais mourir.

Le lendemain, c'est-à-dire hier, je décidai que le moment était venu. J'ai commencé les valises, celles des enfants, puis les miennes. Je leur ai dit ce matin qu'on allait déménager pour vivre dans une nouvelle maison, mais qu'entre-temps on s'installait chez mes parents. Ils étaient très excités. Octave m'a demandé si tu viendrais aussi. J'ai dit non, pas tout de suite. Il a pleuré. Je l'ai consolé tant bien que mal. Il faudra que tu lui parles.

J'ai annoncé à mes parents que je te quittais. Je ne leur ai pas expliqué pourquoi. Tu leur raconteras ce que tu voudras. Je vais chercher un appartement pour nous trois. Je remercie le ciel d'avoir un travail et de ne pas dépendre de toi. Comment font les femmes au foyer quand elles veulent se séparer de leur mari ? J'ai déjà repris mon nom de jeune fille. C'est un soulagement psychologique de ne plus porter ton nom.

Une dernière chose, Jean-Baptiste. Ne cherche pas à me donner des explications. Je ne te parlerai que du divorce. Pour le reste, c'est fini. Nous trouverons une solution pour les enfants. Un couple sur deux divorce, à Paris. Nous ne serons pas les premiers. Ni les derniers. Nous agirons au mieux pour les enfants.

Je voulais te dire aussi que je n'ai pas pu détruire l'argenterie. Afin d'éviter toute discussion sordide, j'en ai pris la moitié. Cela te laisse donc douze couverts de chaque sorte. Tu peux aussi garder les meubles, même ceux qui m'appartiennent. Je ne veux plus les voir. En revanche, j'ai pris ce qui est aux enfants, car je veux respecter leur univers et ne pas leur imposer trop de changement.

Tu vas bientôt rentrer. Je dois me dépêcher de partir. La concierge est montée, inquiète du bruit. J'ai expliqué que j'avais renversé quelques caisses en faisant un grand rangement. Tu lui diras de me réexpédier mon courrier.

Ton ex-femme

La clé USB

Presque tous les hommes ressemblent
à ces grands palais déserts
dont le propriétaire n'habite
que quelques pièces ;
et il ne pénètre jamais
dans les ailes condamnées.

François MAURIAC (1885-1970),
Journal

Quand je suis rentrée, la clé USB était posée sur la table basse du salon. Il y avait un Post-it blanc à côté. « Pour Thérèse. »

C'était l'écriture de mon mari, Hubert. J'ai débarrassé Luc de sa combinaison, puis je l'ai installé dans sa chambre, dans son parc entouré de ses jouets.

J'ai allumé l'ordinateur. J'ai branché la clé USB.

D'abord, rien. Puis la vidéo démarra. Notre canapé. Celui-là même où je me trouvais. Le canapé vide. Pas de bruit. Ensuite, une silhouette. C'était Hubert. Il semblait chercher ses mots. Sa voix résonna enfin, quelque peu déformée.

« Thérèse, je sais que mes paroles vont te blesser. Pourtant je n'ai pas le choix. Je dois te dire la vérité. Je ne suis pas doué pour les mots, je me sens incapable de te laisser une lettre. Je ne sais pas comment te dire ce que j'ai fait. Je n'ose pas te le dire en face. Alors j'ai pensé à cette solution, m'enregistrer et avoir un peu l'impression de te parler face à face. Oui, c'est horriblement lâche. Mais je suis un lâche, Thérèse, et tu ne le savais pas. »

J'appuyai sur « pause ». Hubert se figea sur l'écran. J'observai ses cheveux blonds, son regard clair, ses lunettes d'écaille, ses traits réguliers de jeune père de famille.

Le bébé gazouillait dans sa chambre, jouant avec une boîte à musique. J'étudiai toujours le visage d'Hubert. Qu'allait-il me dire de plus ? Je croyais tout savoir. Il avait avoué.

J'avais trouvé un reçu de Carte Bleue dans sa veste, un mois auparavant. Il s'agissait d'un hôtel à Biarritz, datant d'un week-end où il m'avait dit être en déplacement à Bordeaux pour son travail.

Je lui avais tendu le reçu. Son visage s'était défait. Il m'avait prise dans ses bras, avait pleuré, marmonné une histoire à propos d'une fille sans importance. Un moment d'égarement. Le premier coup de canif porté à un mariage vieux de trois ans seulement. Il me jura de ne plus recommencer. Je lui ai pardonné, difficilement. Je pensais à notre fils. Je ne voulais pas sacrifier ce mariage pour une passade. On m'avait toujours fait comprendre qu'une épouse devait s'attendre à être trompée un jour ou l'autre. C'était la vie. Le mariage, c'est ainsi. Celui de mes parents, de mes beaux-parents, aussi. Fermer les yeux sur les incartades du mari.

« Les hommes sont comme ça, ma chérie, disait ma mère. Incapables d'être fidèles. Ils ont des désirs d'animaux. Les femmes n'ont pas ces instincts-là. Elles sont plus modérées, monogames. Un mari qui trompe sa femme, ce n'est pas grave. Une femme qui trompe son mari, si. Elle est considérée comme une femme perdue. Alors qu'un homme… C'est dans sa nature. Il faut comprendre et accepter. »

C'est ce que je fis. Je pardonnai à Hubert d'avoir eu une aventure dans un hôtel de Biarritz, alors que je l'imaginais à Bordeaux pour son travail. Je voulus tourner la page, ne pas en parler. Je ne lui demandai même pas son nom.

Je pense qu'il fut soulagé par mon comportement. Il devait redouter des scènes, des sanglots, tout ce que font les femmes trompées quand elles apprennent la vérité. Il pensait peut-être que j'allais boucler ma valise et partir avec le bébé. Mais non. Je restais la même. Je ne montrais pas mes blessures. Je souffrais en silence. Je priais pour que cela ne se reproduise pas. J'avais peur de ne pas pouvoir garder mon calme une deuxième fois.

Je relançai la vidéo. Le visage pétrifié d'Hubert se ranima.

« Tu pensais que j'avais une maîtresse. Je te vois encore m'apportant cette facture de Carte Bleue. Tu m'as dit : "C'est quoi, cet hôtel à Biarritz ?" Tu étais pâle et tremblante. J'avais honte. Je t'ai bredouillé un mensonge. Une autre femme. Tu n'as pas ouvert la bouche. Notre fils pleurait dans son lit. Tu es allée le consoler. Il avait de la fièvre. Quand il s'est endormi, tu es revenue. Tu t'es assise dans le canapé. Tu m'as posé des questions. J'ai répondu. Mensonges et re-mensonges. Qu'est-ce que je t'ai raconté ? Que je ne l'aimais pas, que c'était un coup d'un soir. Puis tu m'as demandé pourquoi je t'avais épousée. Je t'ai répondu, et je le répète, je t'ai épousée parce que je t'aimais. Mais je portais un secret en moi. Un secret enfoui depuis longtemps. J'aime les hommes, Thérèse. Je l'ai toujours caché, à toi et à notre entourage. J'ai lutté comme j'ai pu. Je me suis torturé pour ne pas céder. Durant notre mariage, j'ai eu quelques aventures avec des femmes. C'était plutôt pour tenter de me prouver que je n'étais pas homosexuel. Mais je le suis. À trente ans, je dois l'assumer. Même si je détruis mon mariage. Et toi avec. »

Je me suis levée pour ne plus devoir contempler ce visage. Tandis qu'il parlait, je regardais par la fenêtre. Il pleuvait. Les arbres étaient secoués par des bourrasques. La nuit tombait.

La voix d'Hubert, hachée par l'émotion, continuait à débiter sa sordide confession.

« Je te quitte parce que j'aime un homme. Voilà, les mots sont sortis. Tu vas les trouver laids. Cet homme, tu ne le connais pas. Tu es forte, Thérèse. Tu es une femme. Je crois que les femmes sont plus fortes que nous. Je veux le croire pour ne pas me sentir trop coupable. Pour ne pas avoir l'impression d'avoir gâché ta vie. Le lendemain, tu m'as dit : «Je te pardonne. Tu as eu des faiblesses. C'est humain. Mais je t'aime et je veux élever Luc avec toi.» J'ai compris qu'il fallait que je te dise la vérité. Si tu n'étais pas tombée sur ce reçu de Carte Bleue, je te l'aurais avoué quand même. Je frémis en imaginant la réaction de tes parents, de mes parents, de nos amis. Je pense à tout ce que tu vas devoir endurer. Je pense à notre fils. Il est si petit. Je me dis que je devrais partir sans rien, sans lettre, sans explications et que tu finirais bien par savoir. Mais je te dois la vérité. »

J'ai quitté la fenêtre pour m'asseoir de nouveau, mais dos à l'écran. Il m'était impossible de regarder son visage.

« Je crois que j'ai toujours préféré les hommes sans jamais l'accepter. Quand j'avais quatorze ans, je me masturbais avec un ami de classe. Les filles ne m'intéressaient pas. Il achetait des magazines où on voyait des femmes nues qui le faisaient bander. Moi pas. Ce qui me faisait bander, c'était lui. J'ai couché pour la première fois avec un homme à l'âge de dix-huit ans. J'ai compris que j'aimais ça. Je préfère les corps d'hommes, les odeurs masculines, cette virilité qui est aussi la mienne. J'ai essayé d'en parler à mes parents. Je me sentais sale, coupable, pervers. Mais ils n'ont pas voulu m'entendre. Ou, plutôt, ils ont eu peur. Ils se sont renfermés. Ils m'ont laissé à mes démons. Puis je t'ai connue, après plusieurs années d'errances et de doutes. Tu étais belle et douce. Tu l'es toujours. Je me suis dit : c'est une femme comme elle qui va me sauver, qui va me sortir de là. Avec elle, je vais être un homme normal. Un homme marié. Marié et père de famille. Alors, pendant trois ans, j'ai essayé de jouer ce rôle. Thérèse, j'ai fait tout ce que j'ai pu. Étrangement, je ne me suis jamais forcé à faire l'amour avec toi. Avec toi, c'était naturel et beau. C'était innocent, tendre. Mais ce n'était pas sexuel. Ce n'était pas vraiment faire l'amour, pour moi. Tout simplement parce que tu es une femme et moi un homme qui préfère les hommes. Il y a des nuits où je me réveillais en sueur, tu dormais si paisiblement à côté de moi, si heureuse, et je voulais tant te dire mes tourments. Puis tu es devenue mère et, devant ce ventre rond, j'aurais été un monstre de te déballer les immondices qui me torturaient. Je vibrais dès qu'un homme me plaisait. Je traînais sur Internet, je regardais des vidéos où l'on voit des hommes s'aimer. Je les regardais quand tu étais absente. Cela m'excitait beaucoup. Je me disais que j'étais malade, anormal. Des envies horribles me prenaient. Il fallait les étouffer. Je n'en pouvais plus. Je traînais dans ces endroits où vont les homosexuels. Il y avait des W-C avec des trous dans les cloisons. Les trous étaient assez bas. Je ne comprenais pas à quoi ils servaient. Puis j'ai vu un homme mettre son sexe à travers un trou. De l'autre côté de la cloison, une bouche inconnue l'a sucé. J'étais horrifié et troublé. Je suis parti à toute vitesse, la tête pleine d'images furtives. J'ai été aussi dans une boîte de nuit pour gays. On s'embrassait à pleine bouche, on se caressait ouvertement. Les hommes dansaient en s'enlaçant. C'est là que j'ai rencontré Phili. »

Je me suis retournée. Hubert parlait avec une voix nouvelle, moins hésitante. Son regard s'était adouci.

« Je trouve qu'il ressemble à Daniel Day-Lewis dans *My Beautiful Laundrette.* Il est grand et mince, et il aime la vie. Il m'a appris à ne pas avoir honte de ma différence, à ne pas avoir honte de mes envies. C'est vrai qu'avant lui, j'avais honte. Je me sentais marginal, exclu, solitaire. Maintenant, je suis en paix avec moi-même. J'ai compris ce que je voulais. Biarritz, c'était avec Phili. Nous sommes allés à Arcachon, aussi, un autre week-end, à ton insu. »

Pour la première fois depuis le début de son récit, Hubert marqua une pause. Il changea de position, alluma une cigarette. Il en tira quelques bouffées, puis l'écrasa.

Le bébé babillait toujours dans son parc. Il allait bientôt réclamer son dîner, et je ne l'avais pas baigné. Combien de temps encore durerait cette confession ?

Comme s'il répondait à ma question, Hubert enchaîna :

« Ne t'inquiète pas, j'ai bientôt fini. Je sais que tu dois t'occuper du bébé. C'est une mauvaise heure pour toi. Pardonne-moi. Je voulais te dire aussi ceci. Je crois que quand un homme aime les hommes, on change souvent de partenaire. On a une faim sexuelle. Après lui, il y en aura d'autres. Et puis un jour, j'espère, il y aura celui qui m'attend. Celui qui m'aimera. Celui que j'aimerai. Rassure-toi, je me protège. Je ne suis pas fou. Je n'ai pas le sida. J'ai passé le test plusieurs fois. Tiens, regarde. »

Il approcha de la caméra une feuille blanche sortie de sa poche. Je pus déchiffrer son nom, la date et ces mots : « HIV négatif. »

« Je t'imagine de l'autre côté de l'écran. Je t'imagine brisée. Écœurée. Révoltée. Oui, je vois bien que jamais tu n'as eu un doute, jamais tu n'as pu penser que j'étais homosexuel. Le choc pour toi doit être brutal. Une autre femme, d'accord. On accepte. Mais un mari homosexuel, non. Cela marque une vie. Tu sais tout de moi, désormais, Thérèse. As-tu seulement pu m'écouter jusqu'au bout ? Peux-tu comprendre ? Je ne sais pas. Je suppose que nous allons divorcer, que notre mariage est fini. Vas-tu accepter de me revoir ? Vas-tu me laisser voir mon fils, l'élever, et te voir aussi, de temps en temps ? Je l'espère de tout mon cœur. Dis-moi ce que tu veux. Tes désirs seront des ordres, Thérèse. Je te téléphonerai à huit heures ce soir, quand Luc sera couché. Si tu ne réponds pas, je comprendrai que tu ne veux plus me voir. Et j'essayerai d'accepter ta décision. »

La voix d'Hubert se cassa. Il cacha son visage entre ses mains et pleura longtemps, en silence. Hubert resta quelques instants sur le canapé. Puis il se leva et s'approcha de la caméra. Avant que l'écran s'éteigne, j'entendis une dernière fois sa voix :

« Thérèse, s'il te plaît, détruis cette clé USB. Merci. »

La femme qui me contemplait dans le miroir était une inconnue. Elle me ressemblait vaguement, surtout les cheveux. Pour le reste, c'était une étrangère. Ses traits étaient marqués, des lignes profondes creusaient son visage de son nez à sa bouche ; ses yeux semblaient éteints ; son teint cireux, presque verdâtre. Je ne la connaissais pas, mais en même temps, elle m'était familière.

Lorsque cette femme tressaillit au cri d'un bébé, je compris qui elle était. La femme le baigna avec douceur, puis lui donna son dîner. Elle était tendre avec l'enfant. Elle le coucha. Puis elle attendit près du téléphone.

À huit heures précises, il sonna. Elle décrocha. Une voix d'homme dit :

— C'est moi.

Elle répondit :

— Je sais que c'est toi.

Même sa voix ne ressemblait pas à la mienne.

— Thérèse, je…

— Non. Ne discutons pas au téléphone. Je veux que tu viennes. Maintenant. Nous allons parler. Je t'attends.

L'homme dit :

— J'arrive.

L'inconnue se leva, puis me regarda dans le miroir.

Je lui demandai :

— Qu'est-ce que tu vas lui dire ?

Elle mit de l'ordre dans ses cheveux, ajusta son corsage.

— Que je n'accepte pas de divorcer.

— Pas de divorce ! Mais ton mari est homosexuel !

— Peut-être, mais c'est mon mari. C'est le père de mon enfant. Je porte son nom, son fils aussi. Je ne lui accorderai pas le divorce. Je ne le laisserai pas nous quitter, Luc et moi. Être homosexuel ne va pas l'empêcher d'être un bon père. Je veux un vrai foyer pour mon fils. Hors de ce foyer, il aura sa vie secrète, ses amants, ses films, ses sorties. Ici, il sera un père et un mari. C'est tout ce que je lui demande.

— Et s'il refuse ?

— Il a dit qu'il ferait tout ce que je désire.

Elle me regarda. Jamais je n'avais vu un regard si dur.

Puis elle annonça :

— Il le voudra, sinon il ne verra plus son fils.

On frappa à la porte.

Nous nous observâmes longtemps. Elle était assez belle, avec ce visage ravagé et digne.

— Va ouvrir, me dit-elle. La tête haute et le menton fier, Thérèse ! Et surtout pas d'humidité dans l'œil.

Le mot de passe

Nous sommes tous obligés,
pour rendre la réalité supportable,
d'entretenir en nous quelques petites folies.

Marcel PROUST (1871-1922),
À l'ombre des jeunes filles en fleurs

Hunter Logan est assez belle. Elle a les yeux turquoise, d'une couleur particulière, qu'on ne trouve qu'outre-Atlantique, dans certains faubourgs du Massachusetts ; un bleu soutenu, tirant sur le vert, émaillé d'or. Elle a aussi des cheveux longs et clairs, qui l'été deviennent platine. C'est une Américaine élancée, à la mâchoire carrée, au sourire carnassier, aux jambes sportives. On lui dit parfois qu'elle ressemble à l'actrice Cameron Diaz.

Hunter est venue vivre à Paris pour un an, afin de parfaire son français. Elle suit des cours à l'université et loge chez une aristocrate acariâtre, avenue Marceau, à l'angle de la rue de Bassano, dans un grand appartement délabré, aux salles de bains humides, aux chambres défraîchies, mais dont les moulures, si parisiennes, et les cheminées de marbre, si décoratives, l'ont séduite d'emblée.

Mme de M. est obligée de loger des étudiantes pour arrondir ses fins de mois. Depuis la mort de son mari et le départ de ses six enfants, elle ne peut se résoudre à vendre son deux cents mètres carrés et quitter l'avenue Marceau, où elle a vécu cinquante ans. Afin d'obtenir le maximum d'argent pour un minimum de confort, elle loue des chambres à des étudiantes américaines de préférence aisées, et qui sont charmées, comme Hunter, par la vue sur l'Arc de triomphe, la proximité des Champs-Élysées et de la tour Eiffel. Hunter, avec l'enthousiasme de ses dix-huit ans, ferme les yeux sur l'eau tiède, les cafards et l'humeur de la vicomtesse.

L'interdiction d'utiliser le téléphone fixe n'émeut nullement ses locataires. L'astucieuse Savannah, du Colorado, étudiante en informatique passant plus de temps en boîte de nuit que devant son ordinateur, a réussi à pirater la connexion wi-fi des voisins du dessus dont profite aussi Hunter.

Hunter est une jeune fille sage. Contrairement à Savannah, elle sort peu. Elle a un petit ami, Evan, resté à Boston pour suivre des études de médecine, avec qui elle parle sur Skype plusieurs fois par semaine. La photo d'Evan est sur sa table de nuit. C'est un garçon blond, à la dentition parfaite, au regard sérieux. Hunter pense qu'elle l'épousera. Sur la cheminée se déploie la famille de Hunter : ses parents, Jeff et Brooke, sa sœur cadette, Holly, son frère, Thorn, et Inky, le labrador.

Parfois, le soir, avant de s'endormir, les yeux au plafond, elle écoute le grondement incessant du trafic de l'avenue Marceau, et la grande maison familiale de Carlton Street qu'elle n'avait jamais quittée lui paraît si loin qu'elle en a le cœur serré. Dans ces moments de nostalgie, il lui arrive de remonter l'interminable couloir, dont le parquet grince, jusqu'au grand salon poussiéreux où les meubles sont couverts de draps blancs. Hunter ouvre les persiennes rouillées d'une des cinq fenêtres et sort sur le balcon qui fait le tour de l'immeuble. Là, en contemplant la ville, la place de l'Étoile, le flux et le reflux des voitures, elle se sent mieux.

Une nuit, alors qu'elle s'enivrait de cette indéfinissable odeur de Paris, elle sursauta lorsqu'une main osseuse se posa sur son épaule.

— Que faites-vous ici ? siffla Mme de M., vêtue d'un peignoir usé.

Hunter sourit.

— J'admire votre ville, dit-elle dans son français teinté d'accent américain.

La vieille dame l'observa quelques instants. Puis un sourire vint adoucir son regard.

— Tu as raison, murmura-t-elle, et Hunter s'étonna de ce tutoiement subit. Profites-en.

Elle s'en alla, laissant la jeune fille seule avec ses pensées.

Hunter ne parvenait pas à s'habituer, depuis qu'elle vivait à Paris, à l'intérêt qu'elle semblait inspirer aux Parisiens. Savannah eut beau lui expliquer que tous les Français étaient obsédés par les femmes, que c'était là une réalité mondialement connue qu'il fallait accepter, elle était mal à l'aise face à ces regards insistants, ces paroles murmurées sans équivoque, et il lui était déjà arrivé de piquer un sprint pour fuir les avances d'un promeneur solitaire, en plein jardin du Luxembourg. Même l'hiver, emmitouflée dans une doudoune, on trouvait encore le moyen de l'aborder. Au début, c'était flatteur. À la fin, cela devenait pénible.

Dès que le soleil eut pointé le bout de son nez, les mâles de Paris semblèrent perdre la raison. Assis à la terrasse des cafés, ils passaient la journée à regarder les femmes. Surtout sur la rive gauche, nota Hunter. Il suffisait d'un genou dénudé boulevard Saint-Germain pour les affoler. Aux beaux jours, Savannah et une bande d'Américaines plus délurées que Hunter régnaient devant Les Deux Magots. Des hommes plus très jeunes, bronzés, aux tempes grisonnantes, qui roulaient en décapotable, leur proposaient des week-ends à Deauville, à Saint-Tropez, des bouts d'essai pour un film, la couverture d'un magazine. Hunter, elle, rentrait avenue Marceau lire *Un amour de Swann* pour les cours de littérature française donnés par le jeune professeur Jérôme D. à l'université.

Hunter elle-même n'aurait pu nier le charme du professeur. Il devait avoir une petite trentaine, ses yeux étaient noisette, ses cheveux, bruns. Très grand, il se tenait légèrement voûté. Il portait des chemises blanches au col déboutonné et des lunettes rondes qu'il enlevait de temps en temps pour se frotter l'arête du nez. Il portait aussi une alliance.

Hunter avait remarqué qu'une jeune femme brune l'attendait souvent en voiture à la fin des cours. Parfois, on voyait à l'arrière deux fillettes. Le professeur pliait son mètre quatre-vingt-douze, s'asseyait au côté de son épouse et l'embrassait, ainsi que les enfants. Ce spectacle ne manquait pas de toucher Hunter, lui rappelant son propre père et les baisers affectueux qu'il distribuait à la famille, en rentrant le soir à Carlton Street.

— Il est beau, ce mec, avait murmuré une étudiante, qui, comme Hunter, regardait la voiture s'éloigner.

La meilleure amie de Hunter à Paris suivait les mêmes cours qu'elle. Elle venait du Connecticut, s'appelait Taylor. C'était une grande brune un peu massive. Elle avait d'étonnants yeux verts.

Taylor se disait amoureuse du professeur. Dans la chambre de bonne qu'elle louait rue de l'Université, elle était capable de parler la nuit entière des mains de Jérôme D., de ses cils, de ses yeux.

— Il est marié, répétait Hunter.

— Je sais, répondait Taylor. Et sa femme est belle.

— La brune dans la voiture.

— Oui, la brune dans la voiture avec les deux fillettes. Une famille parfaite.

— Il faut laisser les familles tranquilles.

— Tu es si américaine, Hunter, que parfois tu me désoles. Nous sommes à Paris. Ici, les maris font des bêtises. Chez nous, ils ont trop peur. Moi, je veux bien être une bêtise du professeur.

— Et sa femme ? Et ses filles ?

— Je m'en tape, de sa femme et de ses filles.

— Et après ?

— Et après, rien. Je rentre chez moi et j'épouse un bon gros Ricain qui me fera quatre gosses. Et j'aurai connu mon *French lover.*

— C'est horrible ce que tu racontes.

— Quand on est beau comme il l'est, on ne peut pas être réservé à sa seule femme. Elle n'avait qu'à y penser, Mme D., quand elle l'a épousé.

Hunter, de sa cachette, détaille le visage de Mme D. Un catogan brun, un front haut, un visage harmonieux. Taylor avait raison, Mme D. est belle. Belle comme on peut l'être à trente ans, belle de ce mélange d'une nouvelle maturité avec une jeunesse encore tangible. Elle est élégante, porte un tailleur noir et des escarpins à talons aiguilles. Une vraie Parisienne.

Dissimulée derrière un arbre, Hunter est assez près de la femme du professeur pour voir qu'elle semble soucieuse. De légères rides barrent son front. Elle soupire. Adossée à sa voiture, elle mordille son porte-clefs. Aujourd'hui, les petites filles sont absentes.

Des étudiants sortent du bâtiment et se regroupent sur le trottoir. Au loin, le professeur dépasse la cohue d'une tête. Sa femme l'aperçoit, ouvre la portière et s'installe au volant. Il la rejoint. Elle ne le regarde pas. Hunter note qu'ils ne s'embrassent pas. La voiture démarre en trombe. Hunter attend Taylor.

— Tu as séché ? demande celle-ci en arrivant.

— Non, je suis arrivée trop en retard. Je t'attendais.

Taylor jubilait.

— Tu sais quoi ? Le professeur est un séducteur.

— Comment le sais-tu ?

— J'ai rencontré une fille qui a couché avec lui. Figure-toi qu'il est connu pour ça… Il suffit d'aller dans son bureau, le chauffer un peu, et hop !

Hunter reste silencieuse. Elle pense aux fillettes à l'arrière de la voiture, puis au visage sombre de Mme D. Elle ne sait pas pourquoi, mais elle a envie de pleurer.

— Mademoiselle Logan ?

Elle se retourne, reçoit en plein visage le sourire charmeur du professeur.

— Vous habitez par ici ? demande-t-il en montrant la place Saint-Sulpice d'un geste de la main.

Elle se lève.

— Non, j'habite avenue Marceau.

Il s'assied, elle fait de même.

— Alors vous devez loger chez la vicomtesse de M.

— Oui, répond Hunter, intimidée.

La fontaine devant eux fait un joli bruit musical.

— Je viens souvent me promener au Luxembourg, dit-elle.

Avec Proust.

— C'est une bonne idée.

Elle sent son regard mordoré sur ses joues, son front, ses lèvres.

— D'ailleurs, votre dernière dissertation était excellente, si mes souvenirs sont exacts.

— Merci.

— Vous n'avez pas à me remercier. C'était un bon devoir.

Elle lève les yeux, rougissant un peu. Il dit :

— Si vous voulez, nous pouvons aller prendre un verre.

Elle n'entend plus la fontaine, juste le son de sa voix.

— Il y a un café, là, derrière, qui est agréable. Qu'en dites-vous ?

Elle remarque qu'il porte un gros classeur.

— Vous savez ce que c'est ? dit-il.

— Non.

— Devinez.

— Le prochain cours ?

— Perdu ! C'est un livre.

— Sur Proust ?

Il éclate de rire.

— Ah non, Proust, j'ai déjà donné ! C'est un roman. Mon premier roman.

— Vous avez trouvé un éditeur ?

— Oui. Ce gros classeur, ce sont les épreuves. Je les corrige en ce moment. J'allais chez mon éditeur lorsque je vous ai rencontrée.

— Il sera publié bientôt ?

— Après l'été.

— Et il parle de quoi ?

— Il parle d'amour.

Hunter se sent rougir de nouveau.

Le professeur la regarde en souriant. Puis il lui caresse la joue.

— Comme vous êtes jolie, mademoiselle Logan. Et comme je vous fais peur.

— Non, dit-elle en se redressant. Je n'ai pas peur de vous.

— Pourtant, vous tremblez…

Il prend sa main dans la sienne. Il a raison. Elle tremble.

— Je ne vais pas vous manger.

— S'il vous plaît…

Le professeur lâche sa main.

— Détendez-vous.

Elle ne dit rien.

— Allons marcher au Luxembourg. Juste nous trois, vous, moi et Marcel.

Hunter aurait voulu que l'immense baignoire jaunâtre à griffes d'animal, dans laquelle elle s'était échouée, l'avalât d'une gorgée. L'eau n'était plus tiède, mais froide.

Savannah vint marteler la porte.

— Hé, Boston, tu t'es noyée, ou quoi ? Ta copine Taylor a déjà appelé trois fois.

— J'arrive ! marmonna Hunter.

Elle sortit du bain et s'enveloppa dans une serviette. Puis elle s'allongea sur le sol, les pieds surélevés sur le bidet. Elle redoutait d'appeler Taylor. Celle-ci devinerait qu'elle lui cachait quelque chose.

Tout avait commencé hier, au Luxembourg. Ils marchaient tous les deux sous les marronniers. Le temps était magnifique. Autour d'eux, on jouait au tennis, on courait, on prenait le soleil. Jérôme D. parlait de son livre. Elle l'écoutait comme dans un rêve. Il lui prit la main. Elle ne s'y opposa pas. Elle trouvait qu'on les regardait avec gentillesse, comme s'ils étaient deux amoureux, et cela la grisait.

Puis il l'embrassa. Elle accepta son baiser, enivrée. Pendant un court instant, le visage triste de Mme D. et ses petites filles traversèrent son esprit. Puis celui d'Evan. Elle les chassa. Un baiser, ce n'était rien de mal…

Mais le baiser se prolongeait, devenait moins innocent. À l'ombre d'un marronnier, Jérôme D. s'encanaillait. Ses mains frôlaient la poitrine, les hanches de la jeune fille. Il se frottait contre elle, buvait sa bouche.

— J'ai un studio, rue de Vaugirard, murmura-t-il contre ses cheveux. Tu viens ? On y sera bien.

Hunter, alors, se raidit.

— Qu'est-ce qu'il y a ? chuchota Jérôme D.

Hunter se dégagea.

— Vous êtes marié.

Il rit aux éclats.

— Et alors ?

Elle le regarda, ahurie.

— Mais... balbutia-t-elle.

Il l'attira de nouveau vers lui.

— Ma femme ignore tout.

Hunter le repoussa.

— Qu'en savez-vous ?

Surpris, il la scruta.

— J'en suis sûr.

Hunter recula de quelques pas.

— Moi, je trouve que votre femme a l'air triste. Elle sait que vous la trompez.

Il rit encore.

— Un baiser, comme ça, par un bel après-midi, c'est tromper, d'après toi ? Tu avais l'air d'aimer ça...

— On raconte, à la fac, que vous avez des aventures avec vos étudiantes.

Il sourit, moqueur.

— C'est donc ma terrible réputation qui t'angoisse ?

— Je n'ai pas peur, ni de vous ni de votre réputation. Je vous méprise. J'aurais honte si vous étiez mon mari, honte si vous étiez mon père.

Jérôme D. la regarda avec ironie.

— Pauvre petite Américaine mal baisée, siffla-t-il.

Il haussa les épaules, rajusta le col de sa chemise, et s'en alla.

Le livre de Jérôme D. était sorti. Il était exposé dans les vitrines des librairies et la photo de l'auteur s'étalait dans les journaux. L'université avait organisé une signature qui eut un grand succès. Hunter était bien la seule élève de la classe qui ne désirait pas acheter le roman du professeur.

Jérôme D. la dégoûtait depuis l'épisode du Luxembourg, et le fait qu'il coucha peu de temps après avec Taylor accentua son aversion. Taylor devina vite l'existence d'un incident entre Hunter et le professeur. Lorsque celui-ci attribua une note plus que médiocre à Hunter, elle comprit ce qui s'était passé.

— Tu n'aurais pas dû refuser.

— Il fallait dire oui, et se faire sauter dans son lupanar rue de Vaugirard pour obtenir de bonnes notes ?

Étonnée par un vocabulaire aussi cru dans la bouche de Hunter, d'habitude plus modérée, Taylor se tut, gênée.

Hunter guettait le professeur D. dans un couloir. Lorsqu'il sortit d'une salle de cours, elle le harponna.

— Monsieur D., pardon, mais cela veut dire quoi, cette note ? demanda-t-elle en brandissant sa dissertation.

Jérôme D., agacé, pressé, aboya presque :

— Cela signifie, mademoiselle Logan, que votre devoir n'est pas bon.

Sans se démonter, Hunter se planta devant lui.

— Puis-je le montrer à d'autres professeurs ? Je voudrais savoir s'ils le trouvent aussi mauvais que vous.

Jérôme D. hésita.

Hunter embraya.

— Je ne peux pas rentrer aux États-Unis avec une telle note sur mon dossier, qui met ma mention en péril. C'est inacceptable. Vous savez bien que j'ai travaillé. Vous savez aussi pourquoi vous m'avez attribué cette note. Je veux que vous recorrigiez mon devoir. Sinon, je porterai plainte contre vous. Jérôme D. montra ses dents blanches.

— M'accuseriez-vous de ce terme qui fait fureur chez vous, le *sexual harassment ?* Vous allez raconter ce bobard à mes collègues ?

— Certainement.

— Croyez-moi, en France, ce genre de discours puritain fait plutôt rire. Ici, on ne prend pas les féministes au sérieux. Vous l'apprendrez à vos dépens.

Hunter sortait de sa réserve. Son français s'évanouissait, cédant devant sa langue maternelle, plus fiable, plus fluide.

— Je pense... vous allez... *You're going to regret this for the rest of your life.*

— J'en tremble d'avance, ricana Jérôme D.

Elle tourna les talons, cramoisie, le rire léger du professeur résonnant dans ses oreilles. Dehors, Mme D. attendait dans sa voiture. Hunter passa devant elle sans la regarder, les poings serrés.

Un article dans un magazine féminin à gros tirage acheva de la mettre hors d'elle.

« *Scènes d'amour* est le premier roman d'un jeune agrégé de lettres qui fait une entrée remarquée dans le monde littéraire. Jérôme D., professeur dans une grande faculté parisienne, nous livre ici l'apologie du mariage et de la fidélité. Avec humour et émotion, son livre décrit le parcours d'un mariage, ses débuts, ses pièges, ses joies, sa déroute et sa renaissance. Marié, père d'Albertine (quatre ans) et d'Odette (deux ans), ce jeune homme de trente-quatre ans, au physique charmeur, assure avoir écrit ce livre pour sa femme et ses filles. "À notre époque, on ne croit plus au mariage. Les divorces se multiplient, les couples se déchirent, et ce sont les enfants qui trinquent. J'ai voulu faire quelque chose de romantique, même si cela peut paraître démodé. J'ai imaginé une histoire qui se termine bien, et qui redonne de l'espoir, qui parle de bonheur par ces temps de crise et de morosité." Tel est le roman de Jérôme D., écrit avec une subtilité nostalgique inspirée par son maître Marcel Proust, mâtinée d'une verve qui lui est propre. »

Sous une large photographie de Jérôme D. à sa table de travail, une de ses filles sur ses genoux, on lisait la légende suivante : « Jérôme D. photographié avec sa fille aînée, Albertine. »

Hunter faillit s'étouffer. C'en était trop ! En faisant les cent pas dans sa chambre, elle posa son regard sur le portrait d'Evan. Elle observa pendant quelques instants le visage du jeune homme. Si d'aventure, après leur mariage, Evan la trompait, comment réagirait-elle ? Puis elle contempla la photo de son père, étudia son visage buriné, son regard bienveillant, son sourire rassurant. Jamais il n'aurait fait une chose pareille à son épouse, Hunter en était persuadée.

Elle examinait à présent la photo de Jérôme D. dans le journal. Elle méprisait ce visage, ce regard, ce sourire. Elle eut de la peine pour la fillette. Le professeur méritait une bonne leçon.

Derrière l'épaule droite de Jérôme D., on voyait l'écran allumé de son ordinateur. Hunter s'empara d'une loupe dont Mme de M. se servait pour sa collection de timbres. Elle put reconnaître le logo d'une page Facebook.

Elle réfléchit quelques instants. Puis elle se précipita dans le couloir pour tambouriner à la porte de Savannah.

Une voix d'outre-tombe se fit entendre.

— Qui ose me déranger avant dix heures du matin ?

— Ouvre, c'est Hunter.

— Il n'est pas question que j'ouvre, je me suis couchée il y a trois heures.

— Je t'en prie, j'ai besoin de tes lumières.

— À cette heure-ci, mes lumières sont éteintes. Fous le camp !

— Si tu m'ouvres, je te prête ma nouvelle robe.

Silence. Hunter tendit l'oreille.

Le visage fripé de Savannah, le cheveu en bataille, apparut.

— Sans blague ? Tu ne voulais pas me la prêter.

— Maintenant je veux bien, mais à condition que tu m'aides.

— OK, fit Savannah.

— Je veux rentrer dans le compte Facebook d'un mec, lui annonça Hunter.

— C'est quoi son nom ?

Savannah tapa sur le clavier de son ordinateur.

— Voilà, nous sommes sur son profil… Jérôme D… Beau mec, dis donc. Tu as son mail ?

— Oui, il nous l'a donné en début d'année. C'est mon prof.

— Hum… C'est sexuel, ton affaire ? Bon, et le mot de passe ?

— On peut faire plusieurs tentatives ?

— Seulement six. Après, ça bloque. Et trouver un mot de passe, ce n'est pas évident. Ce n'est pas comme un code, qu'on peut élucider par la logique pure. Un mot de passe, c'est une histoire de cœur, et pas de tête. C'est une autre paire de manches. Moi, je ne suis pas douée pour les mots de passe. Je suis trop cérébrale. C'est pour cela que je ne veux pas te décevoir si on n'y arrive pas. Tu me prêtes quand même ta robe, dis ?

— Essaye ça.

Elle tendit une feuille à Savannah.

Celle-ci déchiffra à voix haute :

— Swann, Guermantes, Marcel, Combray, madeleine…

Elle s'interrompit.

— Un peu intello, non ?

— C'est un intello, lui.

Savannah tenta chaque mot.

— Ce n'est pas ça non plus.

— Essaye « catleya ».

— Cat le… quoi ?

— C-A-T-L-E-Y-A.

— Qu'est-ce que c'est ?

— Une fleur.

— Une fleur ?

— Lis *Un amour de Swann*, et tu sauras.

— Un amour de qui ?

— C'est du Proust. Mon prof est un proustien, je te dis. Faire catleya, c'est faire l'amour. Vas-y, tape.

— C'est notre dernière chance, ça va bloquer.

Savannah s'exécuta. Au bout de quelques minutes, une lueur incrédule illumina son visage.

— Ça alors !

— Alors quoi ?

— Ça y est ! Tu l'as eu, c'est ça.

— J'en étais sûre.

— Tu m'impressionnes, Hunter Logan. Je ne t'en croyais pas capable… Voyons ce qu'il a dans ses messages privés, ce monsieur.

Elle tapa sur les touches du clavier.

— Quel idiot, il n'a rien effacé ! Oh, regarde-moi ça… Le coquin !

Hunter se pencha sur l'écran, médusée.

— Il a un rencart ce soir avec une dénommée Oriane. Hôtel D., chambre 208. Elle doit l'attendre en porte-jarretelles… Mais c'est hot, dis-moi… Et cette « Miss Rosemonde » qu'il a reçue hier, rue de Vaugirard… Tu as vu le nombre de rendez-vous dans son studio ? Il est libertin, ton prof. Marié, tu dis ? Cela ne m'étonne pas. Les pires, dans cette ville, ce sont ceux qui sont mariés. Tu peux me croire, je sais de quoi je parle.

Hunter lisait, impressionnée par ces mots crus, ces adresses, ces noms, cette liste qui n'en finissait plus.

Savannah gloussait.

— Tu peux m'imprimer tout ça ? lui demanda Hunter.

— Un jeu d'enfant.

Tandis que l'imprimante ronronnait, Hunter cherchait une adresse postale dans l'annuaire en ligne. Elle la trouva et la nota. Savannah lui tendit une vingtaine de feuilles.

— Qu'est-ce que tu vas fabriquer avec ça ? C'est de la dynamite.

— Si je te prête aussi mon sautoir, est-ce que tu me promets de te taire, et d'oublier cette matinée ?

Savannah la regarda.

— Pas de bêtises, Hunter, hein ?

— Ne t'inquiète pas. Je sais ce que je fais. C'est pour la bonne cause.

Hunter sourit. Elle glissa les feuilles dans une enveloppe.

Devant une boîte aux lettres de l'avenue Denfert-Rochereau, elle n'hésita pas une seconde avant de mettre l'épaisse lettre dans la fente.

Sur l'enveloppe, elle avait écrit :

Mme Jérôme D.
3, rue Cassini
Paris XIVe

Le « Toki-Baby »

Je ne veux aimer personne,
car je n'ai en ma fidélité aucune confiance.

Louise DE VILMORIN (1902-1969),
Carnets

Debout devant les étalages du rayon puériculture, Louise transpirait. Son ventre distendu se faisait lourd. À l'intérieur, des petits poings vigoureux valsaient. Elle tentait de déchiffrer le mode d'emploi d'un appareil dont on lui avait vanté les mérites. D'une main tendre, elle tapota son utérus rebondi ; de l'autre, elle tenait cette merveille du progrès technique, un « Toki-Baby ».

Une vendeuse, ayant pitié des chevilles enflées de Louise, s'approcha d'elle.

— Puis-je vous aider, madame ?

Louise lui adressa un regard de primipare reconnaissante.

— Oui, merci. On m'a beaucoup parlé de cet appareil, et j'aimerais comprendre son fonctionnement.

La vendeuse se lança dans une tirade qui aurait plu à son chef de service.

— Avec le « Toki-Baby », adieu les soucis ! Votre bébé – et je vois que c'est pour bientôt, ajouta-t-elle en minaudant – ne sera plus sans surveillance. Sa moindre respiration, son plus petit soupir vous seront retransmis en toute fidélité.

— Comment ça marche ?

— Le « Toki-Baby » se compose de deux éléments : un émetteur que vous placez près du berceau de votre enfant, et un récepteur.

— C'est un peu comme un talkie-walkie ?

— Un peu, à la différence que le récepteur ne fonctionne que dans un sens, pour éviter de transmettre en retour vers l'enfant l'environnement sonore qui entoure le récepteur.

— Cela signifie que si je capte mon bébé, lui ne m'entend pas ?

— Oui. Ainsi, vous pouvez parler fort sans réveiller votre bébé, et vous surveillez en toute tranquillité son sommeil. Ce dispositif sophistiqué se déclenche dès qu'il capte un bruit, sinon, il reste en état de veille. Vous pouvez donc laisser l'émetteur branché en permanence et allumer le récepteur à votre guise.

— Effectivement, c'est pratique. Il marche avec des piles ?

— Des piles de neuf volts. Mais il est aussi possible de brancher chacun des éléments sur le secteur avec un adaptateur.

— Quelle est la distance de transmission ?

— Cinquante mètres.

— Je vais en prendre un.

— Vous avez raison, madame. C'est un bon choix. Vous verrez comme ce sera pratique quand votre bébé sera là. Vous savez ce que vous attendez ?

Louise sourit.

— Oui, c'est une fille. Elle va s'appeler Rosie.

Rosie naquit quelques jours plus tard. De retour à la maison, elle fut installée dans une ravissante chambre lilas à froufrous. Louise capta fièrement ses pleurs avec le « Toki-Baby ».

— Qu'est-ce que c'est que ça ? lui demanda son mari, André, de mauvaise humeur à cause des biberons de nuit et du bouleversement occasionné dans sa vie depuis l'arrivée de ce nourrisson glouton et braillard.

— C'est pour écouter Rosie partout où je me trouve. C'est bien pratique. Je peux descendre voir ta mère au premier. Je peux même aller en face acheter du pain.

On entendit un grésillement, puis un chevrotement affamé.

— Oh, mademoiselle a encore faim ! chantonna Louise.

— Dis, comment on débranche ? soupira André.

Le récepteur pouvait s'accrocher à la ceinture. Louise ne se lassait pas d'entendre cette respiration légère et fragile, ces bruits de bébé qui l'attendrissaient.

À l'autre bout de l'appartement, loin de la chambre mauve, elle portait le récepteur à son oreille et écoutait le souffle de sa fille. Terrorisée, comme toute mère, par la mort subite du nourrisson, elle gardait la nuit, à l'insu de son mari, l'appareil branché sous son oreiller, volume réglé au minimum. Parfois, si un silence trop lourd s'installait, elle allait voir, affolée, sur la pointe des pieds, si le bébé respirait encore. Puis elle se remettait au lit, réconfortée par le sursaut qu'avait fait Rosie lorsqu'elle lui avait effleuré la joue.

— Tu devrais quand même maigrir un peu, lui dit Julietta, sa meilleure amie.

Julietta était grande et mince. Elle avait eu deux enfants, et cela ne se voyait pas.

Les chevilles de Louise, trois mois après Rosie, n'avaient toujours pas dégonflé.

Louise haussa les épaules.

— Oui, je sais. André me le dit chaque jour. Je n'ai pas le courage de commencer un régime.

— Fais-le avant qu'il ne soit trop tard.

— Trop tard ?

— Avant que tu ne puisses plus perdre tes kilos. Ils risquent de s'installer définitivement. Tu as bientôt trente ans. Fais attention.

— Oh, tu m'ennuies.

— Je te parle pour ton bien. Et puis pense à André.

— Quoi, André ?

— Il doit avoir envie de récupérer sa femme d'avant. Tu étais fine, avant Rosie.

— Je sais.

— Les hommes sont fragiles après un accouchement. Le mien, après le second, a fait une déprime. C'est lui qui a eu le fameux baby-blues ! Et le mari de ma cousine, il n'a pas arrêté de la tromper juste après la naissance de leur fils.

— André ne me trompera jamais.

— Comment le sais-tu ?

— Il me respecte trop. Il me met sur un piédestal. Il ne me ferait jamais cela.

— J'admire ton assurance. Je pense qu'aucune femme ne peut avoir cette certitude-là.

— Il t'a trompée, le tien ?

— J'espère que non. Mais, à vrai dire, je n'en sais rien.

— Comment réagirais-tu, si oui ?

— Je serais écrasée. Vidée.

Rosie hurla dans le récepteur.

— Elle a toujours faim, ta fille, constata Julietta.

Louise se leva péniblement pour aller chercher le bébé.

— Tu as raison, Julietta. Il faut que je perde cinq kilos.

— Huit, ajouta Julietta.

— Je te déteste.

— Il n'y a que moi pour te dire la vérité.

Louise descendait souvent du quatrième étage voir sa belle-mère, Mme Verrières, qui habitait au premier. C'était une femme d'une soixantaine d'années. Elle aimait beaucoup sa bru.

— Je vais faire un régime, lui annonça Louise.

— C'est bien, tu as raison.

— Ah, je suis donc si grosse ?

— Non, ma fille. Un peu enrobée, dirons-nous. C'est normal, après un bébé.

— J'ai tout de même pris vingt-cinq kilos.

— Cela arrive. Moi, j'en ai pris trente pour André. Je les ai tous perdus.

— Je peux vous laisser le « Toki-Baby » ? Je dois aller chez le boucher, et il ne porte pas si loin.

— Vas-y, Louise. Je veille sur Rosie, par machine interposée.

Un mois après, Louise avait perdu cinq kilos.

— Comment me trouves-tu ? demanda-t-elle à André.

Il la scruta.

— Très bien.

— Tu n'as rien remarqué ?

— Non.

Son visage s'affaissa.

— J'ai perdu cinq kilos, et tu n'as rien remarqué ?

— Essaie d'en perdre encore un peu.

Louise se figea.

— Tu me trouves grosse ?

— Mais non, je n'ai pas dit cela...

— Tu viens de dire que je devrais encore maigrir.

— C'est vrai, tu avais grossi depuis le bébé. Perds encore quelques kilos, et tu seras superbe.

— Vous vous êtes concertés, on dirait, Julietta et toi ?

Louise se sentit envahie par une colère sanguinaire.

— Je vous hais, tous les deux. De quel droit Julietta se permet-elle de te parler de mes problèmes de poids ? C'est insensé.

Elle éclata en sanglots.

— Loulou, tu es trop nerveuse en ce moment. Il faut que tu te calmes. Ce n'est pas bon pour toi.

— Je suis nerveuse parce que je ne mange rien de la journée, pleura Louise.

André la prit dans ses bras, lui caressa les cheveux.

— Allez, Loulou, un peu de courage. Pense à notre bébé. Et essaie de te nourrir convenablement.

Louise renifla, puis se calma.

— André, est-ce que tu m'as déjà trompée ?

André se redressa.

— Mais non, voyons. Quelle idée ! Pourquoi me poses-tu cette question ?

— Comme ça.

Louise monta sur la balance. Cinquante-deux kilos. Elle poussa un soupir de soulagement. Encore deux kilos à perdre. Cinquante kilos, et elle aurait récupéré sa ligne de jeune fille. Elle n'en pouvait plus de ce régime. Elle avait retrouvé sa silhouette, mais se sentait bizarre, coléreuse, léthargique. Le jour, elle ruminait des idées noires ; la nuit, elle avait des rêves violents, souvent sanglants.

Le téléphone sonna. C'était Julietta.

— Je suis mince. Presque mince.

— Bravo. Je vais venir voir ça ! Tu es chez toi vers une heure ?

— Allons déjeuner ! Rosie est à la garderie pour la journée. Ça te dit le japonais ? C'est peu calorique.

— Volontiers. Tu réserves pour treize heures ?

— D'accord. J'ai des courses à faire avant. On se retrouve sur place.

Elle raccrocha. Le téléphone sonna de nouveau. Cette fois, c'était André.

— J'ai perdu mon chargeur ! J'ai cherché partout, il n'est pas au bureau.

— Il doit être là, je vais vérifier.

Elle regarda dans la chambre.

— Il est sur la table de nuit.

— Je vais venir le prendre vers midi. Tu seras là ?

— Non, Rosie est à la garderie jusqu'à cinq heures. J'en profite pour faire des courses avant de déjeuner avec Julietta.

— Alors, à ce soir.

Louise raccrocha. Elle s'apprêtait à sortir lorsque l'appareil retentit encore. C'était la garderie ; Rosie avait de la fièvre et pleurait. Louise devait venir la chercher.

Après avoir fait déjeuner sa fille, Louise passa au premier chez Mme Verrières avec le bébé.

— Belle-maman, pouvez-vous surveiller Rosie pendant l'heure du déjeuner ? Elle n'a pas pu rester à la garderie parce qu'elle a un peu de fièvre. Je vais au japonais avec Julietta. Dans l'après-midi, j'emmènerai Rosie chez le pédiatre.

— Ne t'inquiète pas, ma Loulou, je m'occuperai de notre bout de chou. Va donc déjeuner avec ton amie. Quand la petite sera fatiguée, j'irai la coucher au quatrième. Et surtout mange quelque chose, je te trouve trop mince ! Donne-moi le « Toki-Baby » et ta clef.

— Flûte, le voyant ne s'allume plus. Les piles sont fichues ! Quelle heure est-il ?

— Midi trente.

— Je descends chercher des piles dans la boutique en face. J'en ai pour trois minutes. Tenez, prenez Rosie.

Quelques instants plus tard, piles neuves installées, le voyant rouge s'alluma. Louise régla le volume à la puissance maximale.

— Je le mets fort, car j'ai dû placer l'émetteur assez loin de son lit, vers le couloir. Elle l'attrapait, la coquine ! Je l'ai caché derrière une chaise. On ne le voit plus.

— Louise, tu vas être en retard.

Mme Verrières tenait le récepteur à la main.

— Au revoir, ma Rosinette, à tout à l'heure ! gazouilla Louise à sa fille.

Tout à coup, un grognement bestial s'échappa de l'appareil.

— Vous avez entendu ? demanda Louise.

— Oui, c'est étrange.

Louise prit le récepteur, le regarda.

Le grognement se produisit de nouveau, suivi d'un soupir lascif.

Puis une voix féminine s'éleva.

« Ah, c'est bon ! Ce que c'est bon ! Oui ! Oui ! Oui ! »

Louise et sa belle-mère n'osèrent bouger.

— Qu'est-ce que c'est ? marmonna Louise.

« Oui, encore, vas-y, oui, encore, ah, c'est bon, oui ! »

— Il me semble que nous captons des gens qui font l'amour, chuchota Mme Verrières, gênée.

Louise écoutait, transie.

Une voix d'homme les fit sursauter.

« C'est comme ça que tu la veux, hein, tu la sens bien, dis-moi ! »

« *Oui*, bêlait la femme. *Oui, défonce-moi ! »*

— Louise, je ne puis continuer à écouter ces gens, murmura Mme Verrières, qui avait rougi. Je t'en prie, éteins.

« Te défoncer ? Oui, je vais te défoncer, et tu aimes ça, hein ?

— Oh oui, oui, oui ! »

— Louise, éteins, c'est insupportable. Je t'en supplie.

Mais Louise ne parlait plus. Ses joues amaigries étaient d'une pâleur mortelle.

« On dirait que ça t'excite de faire ça debout dans le couloir pendant que Louise n'est pas là, hein ? Cochonne, va ! »

— Mon Dieu ! souffla Mme Verrières.

Louise la regarda sans la voir.

— C'est Julietta et André, dit-elle d'une voix plate, tandis que le couple râlait de plaisir.

Elle coupa le son.

Un silence se fit.

— Ma chérie… balbutia sa belle-mère, défaite.

— Attendez-moi là, annonça Louise. Je reviens dans cinq minutes chercher la petite.

— Louise, où vas-tu ?

Louise ouvrit la porte d'un geste mécanique. Elle monta les marches de l'escalier d'un pas saccadé et rapide, comme un automate. Ses yeux brillaient.

— Louise, que fais-tu ?

Rosie, impressionnée par le ton angoissé de sa grand-mère et par le masque livide de sa mère, se mit à gémir.

Mme Verrières ne voyait plus que la main de sa belle-fille sur la rampe.

— Louise ! Réponds-moi ! Tu me fais peur.

La main ne s'arrêta pas, continuant son ascension, imperturbable.

— Ne vous inquiétez pas, lança Louise par-dessus la balustrade d'une voix presque normale. Je me sens parfaitement bien. À vrai dire, je meurs de faim. Je me faisais une joie de ces sushis. Quel dommage ! Je ne pourrai pas déjeuner avec Julietta parce que je vais la tuer.

— Louise ! Tu es devenue folle ?

Louise était arrivée au quatrième étage. Elle se pencha et aperçut sa belle-mère pétrifiée trois étages plus bas, le bébé pleurant dans ses bras.

Elle leur envoya un pâle sourire qui ressemblait davantage à une grimace de douleur.

— Ce sera vite fait avec mon hachoir à viande. Ne vous faites pas de souci, j'épargnerai André. À tout de suite !

Puis elle ouvrit la porte d'entrée, pénétra dans l'appartement et referma sans bruit.

Le bois

Amants agneaux deviennent maris loups.

Isaac de Benserade (1613 ? – 1691),
Poème sur l'accomplissement du mariage de Leurs Majestés

C'est un soir de novembre, il fait froid, une pluie fine tombe sur le bois. Le long des allées mouillées, les voitures passent, repassent, pneus chuintant sur l'asphalte, et repassent encore, roulant au pas, balayant de leurs phares les arbres sans feuilles et les silhouettes qui attendent au bord du trottoir, déhanchées, le menton levé, l'allure provocante. Derrière une fenêtre embuée, on devine un regard masculin égrillard. La voiture s'arrête, la vitre se baisse, la prostituée se penche, le commerce centenaire du bois commence alors. Elle dit quelques mots. Le mâle acquiesce ; la prostituée fait le tour de la voiture, talons martelant le béton, ouvre l'autre portière et s'installe. Puis la voiture s'enfonce dans l'obscurité, à la recherche d'une contre-allée plus tranquille.

C'est un soir, comme les autres soirs, au bois. La pluie et le froid ne semblent pas dissuader ces rôdeurs nocturnes de leur dose d'amour vénal. Elle regarde sa montre. Vingt-trois heures trente. À minuit, elle rentre chez elle. Encore une demi-heure à endurer, soit trois ou quatre fellations, à vingt ou vingt-cinq euros l'une. Elle observe avec un petit sourire le cinquième passage d'un véhicule bleu métallisé, un cinq-portes, un de ces modèles familiaux dans lesquels elle prend place si souvent, avec siège bébé et rehausseurs pour enfants sur la banquette arrière. Derrière le pare-brise, un jeune homme de trente ans la regarde, presque apeuré, les mâchoires crispées. Elle lui adresse un sourire, pas trop aguicheur. Il ne faut jamais faire peur aux néophytes, car ils s'enfuient. La voiture s'immobilise un peu plus loin. Une de ses consœurs s'élance, toute poitrine dehors malgré le froid. « Laisse ! crie-t-elle. C'est pour moi. » Elle avance vers la voiture. La vitre descend. Elle se baisse. Il ne sait pas quoi dire. Ni quoi demander. Elle n'entend qu'un raclement de gorge. Alors elle prononce d'une voix douce, qui semble le surprendre, ces mots qu'elle répète cinquante fois par jour, cinquante fois par nuit : « Vingt euros la pipe, cinquante euros l'amour. » Il n'ose pas la regarder. Elle sait bien à quoi son propre visage doit ressembler à cette heure-ci, sous l'éclairage artificiel, après une longue journée de labeur. Mais elle devine aussi que cet homme n'est pas venu chercher la beauté et la fraîcheur sous les arbres nus, après une journée de travail. Elle sait bien qu'il ne retiendra jamais les traits de son visage.

« Une pipe. » Un murmure. Elle fait le tour de la voiture, ouvre la portière, s'installe. Il a toujours les mains crispées sur le volant. « Prends la deuxième allée à droite », dit-elle, avec la même voix douce. Il suit ses instructions. La voiture s'engage dans une allée sombre. On voit à peine le ciel tant les branchages s'emmêlent les uns aux autres. Elle lui réclame vingt euros, gentiment. Il sursaute, fouille ses poches, s'agite et allume le plafonnier. Elle voit qu'il porte un pantalon de velours côtelé et une parka. Il trouve enfin son portefeuille et en extrait un billet d'une main tremblante. Tandis qu'il le lui tend, l'alliance qu'il porte à la main gauche capte la lumière et brille d'un éclat franc. Vivement, il éteint le plafonnier. Elle lui demande de défaire sa braguette. Il s'exécute. Elle se penche sur ce sexe inconnu, le énième de la soirée. Il n'est pas complètement dur, alors elle le masturbe un peu. Elle entend l'homme respirer difficilement. Son sexe se durcit enfin. Elle ouvre le préservatif d'un geste expert et le place. Puis elle se met au travail. Elle sait, et elle ne se trompe pas, que la première fois, c'est très rapide. En quelques secondes, l'homme jouit avec un râle étranglé. Elle lui laisse le temps de reprendre ses esprits, puis elle ôte le préservatif usagé, qu'elle fourre dans un sac en plastique préparé à cet effet. « Voilà, dit-elle. Tu as aimé ? Ça a été ? » Il hoche la tête, puis éclate en sanglots. « Allons, allons, mon grand, pleure pas, va ! C'est toujours comme ça, la première fois. Tu te sens coupable, hein, c'est ça ? Elle en saura rien, ta femme. Tous mes clients sont des hommes mariés. »

Sa femme prépare le biberon de minuit. Ses traits sont tirés par les nuits sans sommeil depuis l'accouchement. Le bébé crie d'impatience, gigotant dans son berceau. Étouffant un bâillement, elle met le biberon à tiédir. Le bébé suffoque de rage, le visage pourpre. Elle le prend dans ses bras, le câline. Il se calme. Elle met un bavoir au bébé, attrape le biberon, vérifie la température en versant quelques gouttes sur l'intérieur de son poignet, et s'installe pour la tétée. Il boit lentement et goulûment, la regardant de ses yeux bleutés. Elle est presque endormie sur sa chaise, avec ce paquet chaud serré contre elle. La nuit est calme. On n'entend aucun bruit. Elle se sent fatiguée. Le bébé fait ses rots, elle le félicite, le change et le pose dans son berceau, entouré d'une peluche et d'une boîte à musique qu'elle remonte. Il s'endort déjà. Alors elle sort sur la pointe des pieds et va jeter un coup d'œil sur l'aînée, qui, elle aussi, dort de ce sommeil profond de la petite enfance, souffle léger et régulier, joues roses et rebondies, nounours tenu bien fort.

En se déshabillant, elle se rend compte qu'il n'est toujours pas rentré. Cela fait plus de trois quarts d'heure qu'il est parti reconduire la baby-sitter. Celle-ci n'habite pourtant pas loin. Elle hausse les épaules et se glisse dans son lit avec un soupir de soulagement. Il doit tourner en cherchant une place. Elle s'endort aussi vite que son fils. Le prochain biberon est dans cinq heures.

Quand il pénètre dans l'appartement silencieux, son cœur bat à tout rompre. Il tend l'oreille. Aucun bruit. Il se glisse dans la salle de bains et prend une douche. Il examine son sexe. Celui-ci semble irrité, un peu rouge. Il le savonne nerveusement. Puis il sort de la douche et se sèche. Il se met du déodorant et s'asperge d'eau de toilette. Il ne se regarde pas dans le miroir. Il enfile un T-shirt et un caleçon, puis va voir ses enfants dormir, comme tous les soirs. Ce soir, il y a un goût de cendre au fond de sa gorge. Il s'efforce de ne plus penser à cette fellation furtive au bois, à cette bouche inconnue qui l'a sucé, à l'excitation trouble qu'il a ressentie. Il s'installe à côté de sa femme, qui dort d'un sommeil innocent de jeune multipare épuisée.

Quelques mois plus tard, en février, elle lui murmure d'une voix pâteuse alors qu'il se glisse dans le lit :

— Pourquoi mets-tu souvent si longtemps à raccompagner la baby-sitter ?

Il rougit dans le noir.

— Il y a des embouteillages…

— À cette heure-là ?

— Il y a toujours des embouteillages à cette heure-là.

— On devrait essayer de trouver quelqu'un qui habite le quartier.

— Oui, dit-il.

Au mois de mai, son fils a six mois. Il fait ses nuits. Sa femme est moins fatiguée. Ils recommencent à faire l'amour. Mais il se sent toujours attiré par le monde secret du bois, par ces femmes qui attendent, disponibles. Il n'a pas l'impression de tromper son épouse, car ces femmes qui lui prodiguent des caresses buccales dans l'intimité de sa voiture ne possèdent ni nom, ni adresse, ni numéro de téléphone ; de plus, il se limite à ces fellations sous cellophane, car il n'est pas question de faire l'amour. Ce serait aller trop loin. Ça, ce serait tromper sa femme. Il se dit qu'il ne la trompe pas, puisqu'il ne pénètre pas sexuellement une autre femme.

Il lui arrive d'y aller durant la journée. Il va dans un autre bois, plus loin, car il a peur de rencontrer quelqu'un de son entourage. Au lieu de déjeuner avec ses collègues, il part dans sa voiture. Maintenant, il aborde ces femmes sans hésiter. Il en choisit une vite, elle monte, il lui donne son billet et c'est l'affaire de quelques minutes. Il rentre au bureau, rempli d'un dégoût croissant de lui-même. Il aime sa femme d'un amour profond, d'un amour sincère, mais il aime aussi ces envies sordides qui surgissent du bas-fond de son corps, ces lèvres anonymes, ces femmes qui ne disent jamais non. Il aime rôder autour de ces lieux chauds, voir cet étalage de chair, ces maquillages criards, cette lingerie obscène. Tous les jours, il lutte contre ces désirs enfouis. Tous les matins, en se levant, il se dit qu'il faut qu'il arrête avant qu'il ne soit trop tard. Mais il finit chaque fois par reprendre le chemin du bois, fasciné par ce trafic pervers. Il sait qu'il ne pourrait jamais en parler à sa femme. Elle ne comprendrait pas. Elle n'accepterait jamais. Il imagine trop bien son visage, son existence qui se décomposerait si elle l'apprenait.

Se doute-t-elle, lorsqu'elle installe en roucoulant sa progéniture à l'arrière de la voiture, qu'à sa propre place, sur ce même fauteuil de jeune mère de famille, une vingtaine de prostituées se sont succédé, et qu'elles ont pris le sexe de son mari dans leur bouche pour le faire jouir ?

Oui, elle se doute de quelque chose. Elle pense que la baby-sitter est peut-être la maîtresse de son mari. Au mois de juin, d'un ton léger, elle demande à la jeune fille combien de temps il faut pour rentrer chez elle le soir. Dix minutes. Elle lui demande s'il y a des embouteillages, vers minuit. Rarement, dit la jeune fille.

Elle réfléchit. Donc, il devrait être rentré en une demi-heure maximum, alors qu'il met plus d'une heure. Elle n'est pas d'une nature méfiante, mais elle est fine. C'est une femme calme, assez mûre pour ses vingt-huit ans. Elle est mariée depuis cinq ans à cet homme qu'elle aime profondément. Elle n'a jamais douté de lui.

— Es-tu heureux ? lui demande-t-elle le soir même.

— Le plus heureux des hommes.

— Est-ce que tu m'aimes ?

— Plus que tout.

— M'as-tu déjà trompée ?

— Jamais.

— As-tu déjà eu l'envie de me tromper ?

— Jamais.

Elle le regarde longtemps. Il ne cille pas. Il n'a pas l'air coupable. Mais elle met quand même son plan en action, pour en avoir le cœur net. Elle demande à sa sœur de lui prêter sa voiture pour deux jours. Elle case l'aînée chez une amie pour la nuit. Elle organise une soirée au cinéma et au restaurant pour son mari et elle-même. La baby-sitter vient garder le bébé. Ils rentrent vers minuit. Elle paie la jeune fille. Son mari est resté dans la voiture pour la ramener. Elle entend la portière qui claque et la voiture qui démarre. Elle bondit dans la chambre de son fils et le prend dans ses bras, le plus doucement possible, elle le pose dans un couffin, sort de l'appartement et se met au volant de la voiture de sa sœur, ayant installé le bébé à l'arrière. Elle ne voit plus la voiture de son mari, mais elle connaît sa direction, car elle sait où habite la jeune fille. Au bout de quelques minutes, elle a rattrapé la voiture, et la suit de loin. En regardant sa montre, elle constate que le trajet n'a pas pris plus de dix minutes. Le véhicule bleu métallisé s'est arrêté, la jeune fille descend, fait un signe de la main, tape son code d'entrée et s'engouffre sous une porte cochère. Ce n'est donc pas elle, la maîtresse de son mari. « Et maintenant, qu'est-ce que tu fais ? » siffle-t-elle entre ses dents.

Pour rentrer chez eux, il devrait prendre la première à gauche. Mais il va tout droit, et il va vite. Elle le suit à travers les rues sombres et vides. Le bébé dort. Elle a peur, elle se sent mal ; son cœur bat fort. Mais elle veut, elle doit savoir. Le bois s'avance vers eux, tentaculaire et noir. Elle suit toujours son mari. Il y a beaucoup de voitures ; elle a peur de le perdre.

Où va-t-il ? Elle ne comprend pas. A-t-il une maîtresse qui habite de l'autre côté du bois ?

Puis elle voit les prostituées. Aguichantes, parquées à quelques mètres les unes des autres, elles exposent seins, fesses et cuisses aux voitures qui roulent au pas. Elle sent sa gorge se contracter. Le bébé à l'arrière gémit dans son sommeil. La voiture de son mari s'arrête. Elle freine, et la voiture derrière elle klaxonne. Rapidement, elle le dépasse, surveillant son rétroviseur, puis s'immobilise un peu plus loin, les yeux rivés sur le miroir rectangulaire. Elle voit une prostituée monter dans la voiture de son mari. Le bébé grogne. Il a perdu son pouce. Elle ne l'entend pas. La voiture bleue tourne sur place ; vite, elle l'imite, faisant crisser les pneus. Il s'engage dans un chemin désert. Elle éteint les phares et roule lentement derrière lui. Le silence s'abat sur le bois. On n'entend plus les rires gras, le passage des voitures. Il a coupé le moteur. Elle fait de même. On ne voit pas grand-chose. Le bébé s'est rendormi. Elle sort de la voiture et referme doucement la porte. Sous ses sandales, il y a un épais tapis de mousse et de brindilles. Il fait bon, la nuit est fraîche. On se croirait à la campagne. Elle avance vers la voiture bleue.

Alors la lune, comme pour la narguer, sort de derrière un nuage. Elle découvre le visage de son mari, crispé par le plaisir. Elle s'approche encore, une grande déchirure dans la poitrine. Elle voit entre les jambes de son mari une tête brune affairée, qui monte et qui descend.

Puis le bébé pleure soudain, fort dans la nuit. L'homme sursaute, ouvre les yeux et découvre sa femme debout devant la voiture. Il se fige, glacé d'horreur. La prostituée relève la tête et regarde elle aussi, interdite, cette jeune femme baignée par le clair de lune, belle et triste.

Sa femme le contemple avec tristesse, avec douleur, avec dégoût. Avant de s'en aller, elle enlève son alliance et la pose délicatement sur le capot de la voiture, sans un mot.

Hotel Room

D'après un tableau de Hopper (1882-1967)
du même nom

Pour C.B.R.

Il y a de bons mariages,
mais il n'y en a point de délicieux.

François DE LA ROCHEFOUCAULD (1613-1680),
Maximes

Ma beauté,

Je t'imagine en train de lire cette lettre que j'ai glissée sous la porte alors que tu étais déjà dans la chambre, à m'attendre. J'aurais pu me contenter d'un courriel, d'un SMS, mais je préfère t'écrire ces pages. Je sais que tu vas les déplier sans comprendre immédiatement. Nous connaissons par cœur les lignes de nos corps, le grain de nos peaux, mais tu ignores mon écriture, et moi la tienne.

Cette chambre. Cette chambre où nous nous sommes retrouvés tant de fois depuis quatre ans. Les murs lambrissés, la haute fenêtre, la bergère tapissée de velours vert, la commode acajou. Tu as dû te dénuder, tes vêtements sont pliés sur le fauteuil, tes escarpins, abandonnés au sol. Ton chapeau cloche, que tu portes pour passer « incognito » devant la réception et qui te va si bien, posé négligemment sur la console. Tu arbores une tenue coquine, peut-être cette nuisette rose qui souligne tes épaules, ta taille. Tes jambes sont nues, et je vois tes cuisses fuselées, tes chevilles fines, comme si j'étais là.

Mais je ne suis pas là. Je ne suis pas venu te retrouver parce que notre histoire s'achève. Je devine la soudaine crispation de ton visage, et je m'en veux, je suis un pleutre, car je préfère ne pas avoir à y faire face.

Pendant longtemps, j'ai cru pouvoir dominer notre liaison. Tu étais une bulle d'oxygène, une parenthèse délicieuse. Mais tu as pris une place trop importante dans mon existence. Tu représentes désormais un danger. Ce que je ressens pour toi me submerge. Je suis marié, j'ai trois enfants. Toi aussi, tu as ton mari, tes petits. Notre jardin secret, pendant quatre ans, m'a permis de m'échapper. De vivre des émotions très fortes. Trop fortes.

Tu pourrais être la femme de ma vie. Celle que tout homme rêve de rencontrer, celle à qui un homme donne tout. Je me réveille le matin, je pense à toi. En me couchant le soir, ma dernière pensée est pour toi. Pendant la journée, je t'imagine à ton travail, avec tes collègues. Je me rends compte que tu m'obsèdes.

Tu dois te demander pourquoi je t'écris ces idioties au lieu d'être là, à tes côtés, à te faire l'amour.

Tu es sans doute en colère, et tu arpentes la chambre de tes longues jambes de danseuse, jurant in petto, mais quel con, quel con ! Tu as raison.

Je pourrais poursuivre notre relation, te retrouver, continuer à mentir. Mais je te quitte, et personne n'en saura rien, car notre liaison est clandestine. Nos joies et nos souffrances relèvent de l'ombre, notre plaisir aussi. Nous avons été les amants du secret. Seule cette chambre d'hôtel détient la vérité. Si les murs pouvaient parler, ils raconteraient notre histoire.

Il glissa la lettre sous la porte et dévala les marches de l'escalier, le cœur dans la gorge. Il s'engouffra dans le métro pour rejoindre son bureau. Il transpirait, il étouffait. Toutes ses pensées le ramenaient à Gabrielle dans cette chambre, qui lisait la lettre. Oui, c'était lâche de filer ainsi comme un voleur, mais l'affronter était au-dessus de ses forces. Comment résister à Gabrielle ? Aucun homme ne lui résistait. Il avait fait ce qu'il fallait. Il avait coupé court. Il avait rompu. Pas d'autre choix. Plus besoin de mentir à sa femme. Il se sentait soulagé. Un poids énorme s'était volatilisé. Adieu Gabrielle. Elle déchirerait la lettre, furieuse, puis se rhabillerait et quitterait l'hôtel discrètement. Il n'avait rien à craindre. Personne n'avait rien su. Personne ne saurait jamais. Il continuerait à être l'irréprochable François. Ce mari aimant et fidèle. Ce doux père de famille.

Il songea tout de même à ses possibles réactions. S'abaisserait-elle à lui téléphoner pour obtenir des explications ? Non, il en était certain, elle ne demanderait rien. Il avait tout dit dans sa lettre. Elle était bien tournée, sa lettre. Il avait été élégant. Il avait été franc. Peut-être la garderait-elle ? Il ne l'avait pas signée, pas plus n'avait-il mentionné le prénom Gabrielle. Il s'était montré rusé, l'avait calligraphiée, mais en déguisant son écriture. Dans quelques années, Gabrielle la relirait avec un sourire tendre au coin des lèvres. Ah, François… Elle se souviendrait. Elle se rappellerait les caresses, les étreintes, les actes d'amour dans cette chambre, sur ce lit. Lui aussi, il se souviendrait.

François arriva à son bureau, salua quelques collègues. Il desserra sa cravate, but une gorgée d'eau et s'assit devant son ordinateur. Un coup d'œil à la pendule. Quatorze heures trente. Elle avait certainement quitté l'hôtel. Elle était allée déjeuner. Elle avait dû appeler une amie, lui confier, avec un rire léger : « un crétin m'a posé un lapin », sans révéler son identité, car elle aussi était mariée et devait se montrer discrète. D'habitude, après l'amour, ils buvaient une coupe de champagne, grignotaient des mignardises. Des instants exquis. Comme elle était belle, alanguie sur le lit, la bouche rose et humide, les seins nus. Ils allaient lui manquer, les seins de Gabrielle. Il se rappela qu'il n'avait rien mangé. Il demanda à son assistante de lui commander des sushis.

Il déjeuna les yeux rivés sur son écran. Il travailla mécaniquement. Au bout d'une heure, il scruta son portable. Aucun message. Il ne put s'empêcher d'être déçu, voire inquiet. Elle n'avait même pas essayé de le joindre. L'avait-elle lue, au moins, sa lettre ? L'attendait-elle encore, en nuisette sur le lit ? La lettre avait-elle disparu sous le tapis ? Ou alors s'était-il trompé de chambre ? Il n'avait pas pensé à cette éventualité. Et s'il lui envoyait un SMS ? Non, ce serait ridicule.

Il se leva, regarda par la fenêtre, une seule pensée en tête : Gabrielle dans la chambre d'hôtel, qui s'impatientait, Gabrielle qui n'avait pas lu la lettre. Mais non, évidemment, elle l'avait lue. Elle ne se manifestait pas parce qu'elle était furieuse, blessée. C'est vrai qu'il avait été lâche, mais c'était trop tard. Le mal était fait. Il devait se concentrer sur son travail. Oublier la chambre d'hôtel.

— Tu as vu les nouvelles ? l'interrogea une collègue alors qu'il se servait à la machine à café.

— Quelles nouvelles ? répondit-il.

— Cet immeuble qui a entièrement brûlé.

— Non ! Où ça ?

— À Paris ! Cet après-midi ! Tu planes, ou quoi ?

Elle pointa du doigt la salle de réunion, et il découvrit le bureau entier, une vingtaine de personnes, attroupées devant l'écran de télévision. Une chaîne d'information en continu diffusait les images d'une façade consumée par les flammes, masquée par une épaisse fumée noire. Il s'approcha, son café à la main. Des mots défilaient : DRAMATIQUE INCENDIE DANS UN HÔTEL PARISIEN : DEUX VICTIMES – PLUSIEURS DISPARUS – DIX BLESSÉS DONT QUATRE DANS UN ÉTAT GRAVE. Il reconnut tout à coup la rue, l'hôtel, et lâcha le gobelet. Le liquide noir s'étala sur le linoléum.

Il était incapable de parler. Son visage s'était vidé de toute couleur. Il se tenait figé devant l'écran, hébété. La voix du présentateur précisait que le feu s'était déclaré pour une raison encore inconnue dans l'hôtel juste après treize heures et s'était propagé à une vitesse inimaginable. Une partie de la toiture s'était effondrée. Pourtant, l'hôtel, rénové récemment, n'avait rien d'insalubre. S'agissait-il d'une défaillance électrique ? Ou d'un acte de malveillance ? Une enquête allait être ouverte. Pour le moment, on déplorait deux victimes, mais le bilan pouvait s'alourdir. Le feu n'avait pas encore été maîtrisé. Il mobilisait des centaines de pompiers et de gendarmes. Tout le quartier était bouclé.

Il retourna à son bureau en chancelant. Sa bouche était sèche. Il avait du mal à respirer. Il attrapa son portable. Dans son répertoire, elle figurait sous le même prénom, mais au masculin. GABRIEL. Quelques sonneries, puis sa voix, sa voix à elle, son « Hello, laissez un message » un peu abrupt qu'il aimait tant. Bon sang, comment pouvait-il entendre sa voix alors qu'elle était peut-être gravement brûlée, coincée sous les décombres, agonisante, ou morte ?

Fébrile, il tournait en rond. Comment une telle chose avait-elle pu se produire ? Le feu avait dû prendre juste après son départ. Elle l'avait attendu. Lui. La chambre était au cinquième étage. Avait-elle eu au moins le temps de descendre ? S'était-elle retrouvée en nuisette rose dans la rue ? Pire encore, était-elle à la morgue ? Il songea, épouvanté, à son mari. Il ne le connaissait pas. Il ne savait même pas à quoi il ressemblait. Et puis les enfants. Jeunes encore, comme les siens. Comment les enfants allaient-ils surmonter cette épreuve ?

Il comprit qu'il était incapable de rester au bureau. Il prétexta un rendez-vous de dernière minute et décampa. Il prit à nouveau le métro pour se diriger vers le lieu du drame. Pendant le trajet, il pensa à elle, à la terreur qu'elle avait dû ressentir lorsque la fumée avait filtré sous la porte. La panique. L'horreur. Les flammes. Qu'allait-il faire ? Il ne connaissait même pas son adresse, il savait juste qu'elle habitait dans le Quartier latin, vers la rue Monge. Il ne savait d'ailleurs pas grand-chose d'elle. C'était une femme de l'ombre. La chambre d'hôtel avait été leur univers. Leur monde.

Depuis la rue voisine, il perçut l'odeur effrayante de l'incendie. La fumée s'élevait encore, des volutes noires dans le ciel. Des barrages se dressaient çà et là. Les forces de l'ordre empêchaient le passage. Les badauds s'étaient attroupés. Il ne pouvait que rester là, écrasé, à fixer la fumée. Il tenta une fois encore de la joindre. Sonnerie, puis répondeur. Devait-il envoyer un SMS malgré tout ? Prendre de ses nouvelles ? Il n'osa pas. Difficile de savoir qui détenait son portable à présent. Un pompier, un officier de police pourrait lire ce message.

Une histoire de l'ombre. Personne n'avait rien su. Jamais. Ni son mari à elle, ni sa femme à lui.

Il rentra chez lui, défait. Sa femme, inquiète, lui demanda s'il se sentait bien. Il répondit d'une voix blanche qu'il avait mal à la tête. Elle lui donna un cachet. Avant le dîner, il regarda les informations. Les deux victimes étaient des femmes. Il crut défaillir. À présent, il fallait tout avouer. Tout révéler avant que la police ou le mari ne retrouvent sa trace. Il avait payé la chambre avec une carte de crédit à son nom, François R. Et les caméras de surveillance ? Même si elles avaient été détruites, les vidéos étaient stockées ailleurs. Sans doute le voyait-on entrer et sortir de l'hôtel, juste avant l'incendie. Les enquêteurs le retrouveraient. Il devrait s'expliquer. Raconter la liaison de quatre ans, les nuisettes roses, le champagne, les mignardises. Divulguer les rendez-vous dans la chambre, combien déjà, il en avait perdu le compte. Rendre publics leurs ébats, alors que le souvenir intime des jambes fuselées de Gabrielle, de ses seins, de son corps, de sa voix rauque lorsqu'elle lui parlait pendant l'amour et la réminiscence troublante de sa jouissance, de l'odeur de ses cheveux, du goût de ses lèvres n'appartenaient qu'à lui. Ne plus mentir. Tout avouer. Prendre le courage d'aller voir sa femme, là, maintenant, pendant qu'elle préparait leur repas, lui expliquer. Ne plus tarder. Ne plus attendre l'inéluctable. Il se leva, blanc comme un linge, chancelant. Elle s'affairait dans la cuisine devant un pot-au-feu. Sa femme. Anne. Une chic fille. Belle, encore. Distinguée. Trois enfants.

Une famille parfaite qui allait voler en éclats. Il imaginait les ragots, les médisances. Les regards en biais. Sa belle-famille. Ses parents.

— Je dois te parler.

— Tu en fais une tête !

— J'ai quelque chose à te dire.

Il ferma la porte de la cuisine. Inutile de mêler les enfants à cette scène.

D'une main tremblante, il se versa un verre. Il n'arrivait pas à chasser la nuisette rose et la morgue de son esprit. Il vit le regard d'Anne se troubler devant son silence. Il avala le vin d'un trait.

— Qu'as-tu, enfin ?

Il commença par fixer le réfrigérateur, ce vieux frigo qui ronflait, et entama sa confession d'une voix monotone qu'elle devait sûrement trouver insoutenable. Les yeux rivés sur le paquet de céréales, puis sur le toaster, il déversa son récit minable, le souffle court. En contemplant le calendrier de La Poste accroché au mur, il raconta la liaison, la rencontre dans un restaurant, un jour de printemps, les rendez-vous, les mensonges, l'hôtel, l'incendie, la morgue. Tout y passa. Il y aurait un avant et un après, il le savait. Il se souviendrait de cet instant le restant de ses jours.

Sa femme était blême. Elle avait la bouche ouverte, les doigts agrippés à une chaise. Elle ne prononça pas un mot. Elle le détailla avec d'immenses yeux noirs. Jamais ses yeux n'avaient été si grands, si sombres.

Un silence absolu régnait dans la cuisine. Même le frigo ne ronronnait plus. Le temps semblait suspendu.

Anne se leva précipitamment, ouvrit la porte et courut dans les toilettes à l'autre bout du couloir.

Il l'entendit vomir. Il resta planté au milieu de la pièce, hagard. La scène lui parut interminable. Insupportable.

Son portable vibra dans sa poche. D'une main nerveuse, il s'empara de l'appareil.

L'écran affichait un SMS de « GABRIEL ».

« Complètement zappé notre RV ! Je suis à NYC, sonnée par le décalage horaire. J'espère que tu ne m'en veux pas trop ?

Es-tu libre vendredi prochain ? »

La brune de la rue Raynouard

Les gens qui aiment ne doutent de rien,
ou doutent de tout.

Honoré de Balzac (1799-1850),
Une ténébreuse affaire

— Eugénie ? Salut, je te dérange ?

— Hello, Ève ! Non, pas du tout, je suis en train de finir un dossier.

— Écoute, je ne sais pas comment te dire ça, mais bon, on se connaît depuis si longtemps…

— Que veux-tu me dire ?

— J'ai hésité, et puis j'ai pensé que tu aurais fait pareil.

— De quoi s'agit-il, enfin ?

— Tu es seule, là ?

— Toute seule, dans mon bureau.

— OK. Ça concerne Lionel. Ça va te paraître bizarre, mais je n'en peux plus de garder le silence.

— Mais enfin, parle ! Accouche !

— Alors voilà. Ça fait plusieurs fois que je vois ton mari entrer dans un immeuble tout près de mon cabinet à l'heure du déjeuner. Au début, je ne m'en suis pas inquiétée. Je me suis dit que Lionel devait avoir un rendez-vous d'affaires dans le coin. Mais à force, j'ai commencé à trouver ça louche.

— C'est où ?

— Rue Raynouard.

— Et pourquoi tu trouves ça louche ?

— Parce qu'il en sort toujours le visage rouge, il marche vite, la tête baissée. Il n'a pas l'air bien.

— …

— Allô, tu es là, Eugénie ?

— Oui. Pourquoi tu ne m'as rien dit avant ?

— J'ai hésité. Je savais que depuis l'année dernière, depuis ton histoire avec… Bref, depuis tout ça, vous aviez traversé une mauvaise passe. Je ne voulais pas te faire de la peine. Puis, comme je l'ai vu une dizaine de fois, je me suis dit qu'il valait mieux que je t'en parle.

— Une dizaine de fois ! Je ne sais pas quoi penser.

— Est-ce que tu crois que… Qu'il… ?

— C'est possible. Après tout ce qu'il a subi avec cette histoire, mes conneries…

— Tu le trouves comment en ce moment ?

— Il est silencieux. Préoccupé. Mais pas plus que d'habitude, tu sais. C'est un taiseux, mon mari.

— Je dois te dire encore autre chose.

— …

— Tu veux bien, Eugénie ? J'aimerais tout te dire.

— Mon Dieu… Que vas-tu encore m'annoncer ? Vas-y…

— J'ai fini par aller regarder la liste des noms sur l'interphone. Peut-être qu'il avait un rendez-vous médical, finalement. Tu es au courant d'un rendez-vous médical ?

— Non. Absolument pas. Il n'en a jamais parlé.

— …

— Bon, Ève, tu continues, oui ?

— Alors pas de médecin. Ni de kiné. Rien dans le genre. Rien du tout. Et puis…

— Et puis ?

— J'ai vu que Lionel entrait chez une femme, dans cet immeuble.

— Mais comment as-tu vu ça ?

— Tu vas me trouver folle, mais je l'ai suivi.

— Quoi ? Alors, il t'a vue ?

— Mais non. J'avais un bonnet avec une capuche par-dessus. Impossible de me reconnaître. Il a appuyé sur l'interphone. Initiales FG. Je l'ai suivi. Cette femme habite au rez-de-chaussée. J'ai fait semblant d'attendre l'ascenseur. Quand elle lui a ouvert, j'ai pu la voir, rapidement.

— Et alors ? Elle est comment ?

— Eh bien justement, Eugénie. C'est pour cela que je t'appelle.

— Tu m'énerves à ménager tes effets.

— C'est que je ne veux pas te blesser.

— Quoi, elle est sublime ?

— Oui, Eugénie, elle est sublime. Mais surtout, sexy.

— C'est-à-dire ?

— Ne t'énerve pas. Je veux dire, sexy, vêtue d'une jupe moulante mais distinguée. Des escarpins hauts, des cheveux lisses, bien coiffés. J'ai juste eu le temps de voir une entrée blanc et rose, une ambiance féminine, avec des livres, des aquarelles aux murs.

— Merde.

— Oui, merde.

— Tu as eu raison de m'en parler. Même si je ressens des drôles de trucs.

— Comment ça va entre Lionel et toi ?

— Depuis tout ça, tu veux dire ? Depuis… ?

— Oui, depuis…

— Mal. Ça va mal. On n'en parle jamais. Je sens qu'il souffre. Mais il travaille, il s'occupe des enfants, de moi. Il ne dit jamais rien. Je n'ose pas lui en parler. Je pense, peut-être à tort, que tout ça est derrière nous. Qu'on a tourné cette page. Qu'on avance. Maintenant, avec ce que tu viens de m'apprendre, je me pose des questions.

— Et au niveau de… votre couple ?
— Au lit ? C'est ça ?
— Oui, au lit.
— Il ne se passe plus grand-chose au lit. Il est fatigué. Moi aussi. Comme n'importe quel couple marié depuis un certain temps et qui a vécu ce qu'on a vécu, j'imagine.
— Que vas-tu faire ?
— Je ne sais pas.
— Tu vas lui en parler ?
— Non. Pas pour le moment.
— Tu ne m'en veux pas ?
— Non.
— Tu me promets ?
— Oui. Donne-moi juste le numéro de la rue Raynouard. Merci. Merci, Ève.

— Ève ? C'est moi.
— Attends, je sors de ma réunion. Ne quitte pas, deux secondes. Allô ? Oui, me voilà.
— Tu as cinq minutes, là ?
— Oui, vas-y. J'attendais ton appel.
— Ça va, Eugénie ? Tu as une drôle de voix.
— Oui, ça va. Je suis un peu… Enfin… Tu vas comprendre. Par quoi commencer ?
— Tu es allée chez cette FG, rue Raynouard ?
— Oui. Peu de temps après ton appel. Je suis restée dans ma voiture, devant chez elle. Je n'ai

pas vu Lionel. Au bout d'un certain temps, FG est sortie de l'immeuble. Exactement comme tu l'avais décrite. Belle femme. J'ai failli rester dans la voiture. Je manquais de courage. Puis je suis sortie, et je l'ai suivie. Je regardais cette femme, sa démarche sensuelle, et j'en étais malade parce que je me disais, c'est la maîtresse de mon mari. C'est avec elle qu'il fait l'amour, alors qu'avec moi, il ne se passe plus rien. J'imaginais les mains de Lionel dans ses longs cheveux bruns, sur sa taille fine, sur ses hanches, et j'avais envie de pleurer. Tout est de ma faute, Ève.

— Ne dis pas ça, Eugénie. Tu te fais du mal.

— Si je n'avais pas eu cette aventure idiote, cette passade, si je n'avais pas…

— Il faut oublier tout ça, tu le sais.

— Je l'ai suivie jusqu'à la place du Trocadéro. Elle s'est assise dans un de ces grands cafés. Elle regardait son portable et elle souriait. J'imaginais qu'elle recevait des SMS de Lionel.

Je me suis installée pas trop loin d'elle. Un regard pétillant, une peau blanche, lumineuse. Comment rivaliser avec une femme pareille ? Je me sentais perdue. Je n'ai pas osé la confronter. Qu'aurais-je pu lui dire ? Je suis partie.

— Et après ?

— Quand Lionel est rentré, j'ai remarqué qu'il passait beaucoup de temps sur son téléphone. Le soir, j'ai voulu lui faire l'amour. Il m'a gentiment repoussée. Visiblement, il ne me trouve plus attirante, je ne lui fais plus rien. C'est vrai qu'à côté d'elle... Dans la nuit, pendant qu'il dormait, j'ai fouillé son portable. Il y avait de nombreux SMS envoyés à « FG ». Je n'ai pas eu le temps de les lire, mais dans le premier, il y avait le mot « sexe ». Cela m'a suffi.

— Arrête, tu te fais du mal...

— Si je n'avais pas eu cette histoire avec ce type...

— À quoi ça sert de ressasser ? Essaie de te calmer. Pense plutôt à ce que tu vas faire. Tu vas parler à Lionel ? Tu vas lui dire que tu sais ?

— Mais que veux-tu que je lui dise, à Lionel, enfin ? Il a tant souffert à cause de moi. S'il me trompe avec cette FG, c'est de ma faute. Tout est de ma faute. Je te laisse. Je n'ai plus le courage d'en parler. Salut...

— Vous êtes Mme FG ?

— Vous êtes ?

— ...

— Qui êtes-vous ?

— Je suis la femme de Lionel. Eugénie. Je sais que mon mari est chez vous. Il est entré il y a dix minutes. Je l'ai vu. Je voudrais vous parler, à tous les deux. Ouvrez-moi, s'il vous plaît.

— Je suis navrée, mais c'est impossible, madame.

— Je ne vais pas vous raconter ma vie par interphone, c'est ridicule. Laissez-nous une chance, à Lionel et moi. Une toute petite chance. Laissez-le-moi. Laissez-moi essayer de le rendre heureux. Il a dû vous parler de mon aventure idiote. Je le regretterai toute ma vie. Il a été blessé, il s'est éloigné de moi. Mon Dieu, je suis ridicule, à pleurer sur votre palier… Vous devez me trouver pathétique. Je voudrais entrer et vous parler, à vous, à lui.

— Madame, arrêtez de pleurer, calmez-vous.

— Lionel est à côté de vous ? Il m'écoute ?

— Je dois raccrocher. Au revoir, madame.

Lionel. Je sais que tu es chez cette FG.

Je t'ai vu entrer chez elle. Elle n'a pas voulu m'ouvrir.

LIONEL RÉPONDS À MES SMS STP

Calme-toi, Eugénie. Je vais t'expliquer.

Pas la peine.

Où es-tu ?

Dans un café.

Dis-moi où tu es, je te rejoins.

Pour m'annoncer que tu es amoureux de FG ?

Pour te parler.

J'ai tout compris.

Je veux t'expliquer pour FG.

À quoi ça sert ?

Je veux te dire à quel point FG m'aide,
me redonne confiance en moi.

Arrête.

Non, c'est important, Eugénie.
Je veux que tu la rencontres.

Ça va pas, non ?
Mais pourquoi tu me demandes ça ?

Parce qu'elle me sauve. Depuis 6 mois.

6 MOIS ?
Tu couches avec elle depuis 6 MOIS ?

Eugénie, tu n'as rien compris !

J'ai compris que tu aimes une autre femme.

Non. Je t'aime TOI.

??

Je veux que tu la voies avec moi.
Elle aimerait aussi.

Je rêve ! Un truc à trois ?
Tu es devenu fou ?

Calme-toi. Je t'en prie.

Je souffre trop.

Dis-moi où tu es STP. Je suis en route.

NON.

Bon. Eugénie. Arrête. Je n'ai pas envie de me battre. Lis bien ce qui suit STP ! FG = Dr Frances-Sarah Guidoboni SEXOLOGUE 47, rue Raynouard. Une séance par semaine depuis que tu m'as avoué cette aventure d'un soir qui m'a coupé tous mes effets. Maintenant dis-moi où tu es une fois pour toutes. Envie de te serrer dans mes bras et de te dire combien je t'aime. Envie de toi.

Table

Du même auteur :

Aux Éditions Héloïse d'Ormesson

À l'encre russe, 2013. Le Livre de Poche, 2014.
Rose, 2011. Le Livre de Poche, 2012.
Le Voisin, 2010. Le Livre de Poche, 2011.
Boomerang, 2009. Le Livre de Poche, 2010.
La Mémoire des murs, 2008. Le Livre de Poche, 2010.
Elle s'appelait Sarah, 2007. Le Livre de Poche, 2008.

Aux éditions Le Livre de Poche

Café Lowendal et autres nouvelles, 2014.
Spirales, 2013.
Le Cœur d'une autre, 2011.
Moka, 2009.

Aux éditions Fayard

L'Appartement témoin, 1992. J'ai Lu, 2010.

www. tatianaderosnay.com

Le Livre de Poche s'engage pour l'environnement en réduisant l'empreinte carbone de ses livres. Celle de cet exemplaire est de :
250 g éq. CO_2
Rendez-vous sur www.livredepoche-durable.fr

Composition réalisée par Belle Page

Achevé d'imprimer en avril 2015 en Espagne par
CPI
Dépôt légal 1re publication : février 2015
Édition 03 –avril 2015
LIBRAIRIE GÉNÉRALE FRANÇAISE
31, rue de Fleurus – 75278 Paris Cedex 06

70/7782/6